世界一やさしい

超

勉強法

101

The world's easiest super study method 101

原マサヒコ 著
ナカニシヒカル イラスト

飛鳥新社

あなたは

勉強

していますか？

学校の勉強、受験勉強、
英会話の勉強。
社会人になってからは
仕事や資格の勉強。
年を重ねてからは
「学びなおし」で勉強。

やったほうがいいのはわかってる。
でも、どうしても
気が乗らないし、続かない。
どうしても
集中できないし、覚えられない。

勉強なんて、楽しくない。

どんなにやっても、覚えられない。

そもそも、やるのがめんどくさい。

「勉強法」の本も
たくさんあって、
何から手をつけていいか
わからない…。

そんなあなたへ――。

あなたと同じように、
先人たちも勉強や学び方に
悩みを抱えていました。
それらを解決してきた「**知恵**」は、
何十冊何百冊にも及びます。

それを、
あなたの代わりに読みこんで
厳選したものを集めました。

そして、

ギュギュギュッと
1冊にまとめたのが
本書です。

さあ、
勉強を始めよう！

勉強ってめんどくさい…
やらなきゃとは思うけど、腰が重い…

これは、誰もが思うことです。
私自身、学生のころは「まったく」といっていいくらい
勉強をしませんでした。
「いつか役に立つって、いつだよ。
勉強なんて、仕事するときには必要なくなってるだろ…」
と斜に構えていたんです。
おかげで、高校の頃の成績はつねに最下位。

ところが。
社会人になって直面したことは、

勉強、勉強、勉強！

のオンパレード。

でも、よく考えてみると…
「新しいことを覚える」という意味では、
赤ん坊が言葉を覚えるのだって、
子どもが学校でルールを覚えるのだって、
社会人が仕事を覚えるのだって、
ぜーんぶ「新しいことを学ぶ勉強」なわけで。

そのことに気づいてから、
私は必死に仕事のことを勉強していきました。
と同時に、学生時代の遅れた分を取り戻すべく、
たくさんの本や文献を調べ「効率よく、楽しく続けられ
る方法」も模索していきました。

学生時代に勉強がつまらなかったのは、
目的もわからないまま、
自己流の詰めこみでやっていたから。
本来、新しいことを学ぶのは楽しいはずです。

知識は一生ものの財産になりますし、
それを身につけるための勉強法は
あなたの人生で、
とてつもなく大きな武器になります。

実際、私が社会人になってから
さまざまな勉強法を駆使して覚えた知識は、
はじめて勤めたトヨタで行なわれた
「技能オリンピック」での最年少優勝、
カイゼンのアイデアを競う
「アイデアツールコンテスト」で
2年連続全国大会出場など、
手ごたえある成果につながりました。

さらに、学生時代の国語の成績は最悪だったのに、
まったく縁もゆかりもなかった
「作家」という仕事に就けるほど、大きく成長できました。

子どもや学生、社会人はもちろんのこと、
仕事を引退された方にとっても
「学び」は不可欠なものです。
最新の研究からも、脳はいつまでも成長し続けることが
わかっています。

天才科学者と呼ばれたアルバート・アインシュタインは、
こんな言葉を残しました。
――天才とは努力する凡才のことである。

黄熱病の病原菌発見という功績を残し、
千円札の顔となった野口英世もいっています。

——誰よりも三倍、四倍、五倍勉強する者、それが天才だ。

本書では、私が社会人になってから今日に至るまで
読みあさってきた

勉強に関する名著 100 冊から

楽しく、効率よく勉強するための

101 メソッド

をご紹介します。
1 つずつ、できそうなものから試してみてください。

本書をきっかけに、みなさんの学びがより深く、
より楽しいものになりますように。

さあ、さっそく始めていきましょう！

contents

世界一やさしい超勉強法101

CHAPTER2

input インプットする

| CHAPTER3 |

心を整える
mindset

CHAPTER4

アウトプットする

output

| CHAPTER5 |

しくみをつくる

systemize

Epilogue

何よりもまず、動いてみよう ———— 234

準備する

prepare

CHAPTER

1

知識や計算能力よりも大事な「態度」を身につける

『君なら勝者になれる』
シブ・ケーラ

大切なのは、勉強による「知識」だけじゃない

勝者になるためには「態度」を意識しよう

　勉強法の１つめは、勉強の効果をぐっと高める「態度」や「姿勢」のお話をしましょう。勉強というと「知識」を詰めこむイメージがあるかもしれませんが、本当に正しいのでしょうか？　ハーバード大学の研究によると、**「勝者」となるための就職や昇進の決め手となる要素は、知識や計算能力よりも「その人の態度」が大きく影響する**といいます。ですから、学ぶと同時に、勉強に向かう態度や、勉強以外での生活態度なども意識しなければなりません。

　「態度」のほとんどは発育期に形成されますが、シブ・ケーラ氏は「態度は、改められるもの」といいます。

「環境」「経験」「教育」＋「勉強」＝人生の勝者

　人の態度の形成に関わるのは、おもに「環境」「経験」「教育」の３つです。

　まず１つめの「環境」。たとえば家庭環境、職場環境、学校だけでなく、ふれるメディアも「環境」です。ポジティブな環境もあれば、ネガティブな環境もあります。自分が置かれている環境を、冷静に見つめなおす必要があるでしょう。２つめは「経験」です。さまざまな経験が自分の考え方に影響を及ぼし、態度が変わるきっかけになります。たとえ悪い経験だったとしても、ポジティブにとらえれば、前向きな態度につなげられます。最後の「教育」は、どのような知識や知恵を学ぶかというものです。より良質な教育にふれていったほうが、態度にもプラスに働くでしょう。

　この**「環境」「経験」「教育」の３つの態度を意識しながら「勉強」すれば、学びはさらに深まり、人生の勝者になれる**でしょう。

　「環境」と「経験」では特に「ポジティブ」がキーになってきますが、**勝者になるための習慣として推奨されているのが、「ポジティブな行動で１日を始める」こと**。朝起きてすぐにポジティブな行動をすれば、その日の心を好ましい状態で維持できるはずです。

学歴や収入にも影響する「非認知能力」を鍛える

『「学力」の経済学』
中室牧子

「小さな指示」をくり返し守れる人は伸びる

学歴や年収にも影響する「非認知能力」

前項では「知識」「計算力」以外の「態度」が重要とお話ししましたが、ここでも知識以外の能力が勉強に影響するという研究結果を紹介しましょう。

学力テストで計測される力を「認知能力」といいますが、「忍耐力がある」「社会性がある」「意欲的である」といった、人間の気質や性格的な特徴のようなものを**「非認知能力」**といいます。シカゴ大学のヘックマン教授によると、米国の一般教育修了検定の分析を行なったところ、**非認知能力は、認知能力の形成に一役買っているだけでなく、学歴や将来の年収などにも大きく影響する**ことがあきらかになったとか。そして、誠実さや忍耐強さ、社交性、好奇心の強さといった非認知能力は、「人から学んで獲得するものである」というのです。学校とは、先生や同級生から「非認知能力」を学ぶ場でもあるのでしょう。

非認知能力の1つ、「自制心」を養おう

人生を成功に導くうえで重要だと考えられている非認知能力の1つに**「自制心」**があります。コロンビア大学の「マシュマロ実験」と呼ばれる研究をご存じでしょうか。4歳の子どもにマシュマロを1つ差し出して、「いつ食べてもいいけれど、大人が部屋に戻ってくるまで我慢できればマシュマロをもう1つあげるよ」と伝えて部屋を出ます。そして、15分後に戻ってくると、約3分の1の子どもが15分間我慢してマシュマロを2つ手に入れました。その子どもの人生を追跡調査すると、高校でのテストのスコアがかなり高くなっていたとか。

自制心を鍛えるには、「継続と反復」が重要だといいます。たとえば、先生に「背筋を伸ばせ」といわれて、それを忠実に実行した学生は成績の向上が見られたことを報告している研究もあるそうです。

もっと ランクアップ！

最近では、非認知能力を鍛える手段として部活動や課外活動にも注目が集まっているといいます。試験や受験のために、部活をやめさせるのは、実は本末転倒なのかもしれませんね。

自分を信じて、
圧倒的な練習量をこなす

『究極の鍛錬　天才はこうしてつくられる』
ジョフ・コルヴァン

成績	累計総練習時間
優秀 　昔からやってるしね！	
よい 　まーこんなもんかな？	
ふつう 　それなりにはねー	
イマイチ 　そんなにやってるの!?	

POINT

人より多い練習量と、それを支える
心の奥底からの欲求が大事

一流と二流を分けるものは「練習量」

次に、モチベーションを支える「情熱」のお話をしましょう。

偉業を成し遂げる人と、普通の勤勉な人とでは何が違うのでしょうか?

1990年代初頭、優秀な音楽家を輩出することで有名な西ベルリン音楽学校で、「なぜ特定のバイオリニストだけが、ほかよりすばらしいのか」をあきらかにするための研究が行なわれたそうです。全被験者が何歳で音楽を始めたか、どんな先生についたか、演奏を始めて以来、週に何時間練習してきたかなど、個人的データを収集し分析したところ、1つだけ大きな違いがありました。それは、バイオリンを始めてからこれまでの**「累積総練習時間」**です。つまり、**練習量が多いほど、より優秀な音楽家になっていた**のです。

「結局は練習量か」と思うかもしれませんが、シンプルに、その差が一流と二流を分けていたのですね。これは勉強も同じです。難関大学や資格試験に受かる人は、やはり圧倒的に練習量が多いものです。

では、二流の人はなぜ練習量が少なくなるのでしょう? そこには**「情熱の差」**がありました。

自分の本当の欲求を知ることで、情熱は生まれる

なぜ、一流の人は、何年も先にならないと手に入らない報酬のために練習を続けられるのでしょうか?

その答えは、次の2つの問いに「どう答えるか」にかかっています。

1つめの問いは、「あなたが本当にほしいと思っているものは何か?」。自分が深く求めているものを知ることは、不可欠な要素です。偉大な業績を上げる人間になるには、目標に向かって何年もかけて自分の人生をつぎ込まなければなりません。**心の奥底に大きな力が潜んでいなければ、成功できないのです。**

そして2つめの問いは、「あなたが信じているものは何か?」。毎日何時間も練習を続けるなかで、**「私は必ず頂点にいける!」と心の底から信じているかどうかで、夢がかなうかが決まる**ということです。

4

モチベーションを高めあえる 協力者を見つける

『**LEARN LIKE A PRO　学び方の学び方**』
バーバラ・オークレー/オラフ・シーヴェ

前向きな仲間が見つかると、 やる気が湧いてくる

複数人で勉強をするメリットもある

　勉強のやる気はなかなか続かないもの。そこで次に、「モチベーションを維持する工夫」を紹介します。

　勉強というと孤独のなかで黙々と机に向かってやるイメージがありますが、実は複数人でやるとモチベーションに大きな影響があり、1人のときよりよい結果を出す人もいます。もともと人というのは社会的な人間関係を築き、まわりの人の愛と尊敬を確保したいと考える生き物です。「1人カラオケ」や「1人焼肉」なども悪くはありませんが、誰かと食事をしたり大勢でカラオケをしたりして、楽しい気持ちになったことってありますよね？　勉強も、誰かと一緒に協力しながらやるのは楽しいものなのです。

　特にむずかしい問題を解く場合には、オススメです。**1人で頭を抱えているだけでなく、ほかの人たちと一緒になって問題に取り組めば、力が湧いてきたり、思いもよらなかった方向からアイデアが出てきたりします**。また、自分が間違っていたときには指摘してもらえることもあるでしょう。

「動機の伝播」が得られる仲間を探そう

　もし勉強に対してモチベーションがなかなか上がらない場合でも、前向きな仲間に囲まれて勉強の話をしていたら「がんばらなければ！」と刺激を受けるはずです。これは「動機の伝播」と呼ばれますが、**できる限り前向きな仲間とつながることがポイント**です。現代はさまざまな形のコミュニティがありますが、前向きな勉強仲間がつくれそうな場所を探して飛び込んでみるのも1つの策といえるでしょう。仲間に教えたり、教えてもらったりすることも勉強にはプラスになります。**1人で学ぶよりも刺激のレベルが高く、記憶に残りやすい**ためです。

　また、同じレベルの仲間であれば、競争意識が働くことにもなるでしょう。ギスギスするのはよくありませんが、ゲーム感覚で「次のテストは負けないぞ！」と切磋琢磨しあえば、モチベーションアップにつながるはずです。

　まずは、自分にとってモチベーションが上がる仲間を探してみるところから始めてみてはいかがでしょうか？

もっとも「伸びしろ」がある 分野を見つける

『How Google Works　私たちの働き方とマネジメント』
**エリック・シュミット／ジョナサン・ローゼンバーグ／
アラン・イーグル／ラリー・ペイジ**

**あれもこれもと欲張らずに、
まず一歩目は成長の可能性がある分野を選ぶ**

世界トップレベルの会社で浸透する考え

　ここまで学力以外の能力について紹介してきましたが、能力のなかでも、特に伸びやすいものはあるのでしょうか？　視点を変えて、ビジネスの成功者からその方法を見ていきましょう。世界有数の大企業 Google には、シリコンバレーをはじめ世界中から優秀なエンジニアが集まってきます。そんな世界トップレベルの会社では、どのような考え方が浸透しているのでしょうか？

　ここで取り上げる書籍は、エリック・シュミット氏をはじめとする Google 創業時の中心メンバーによって書かれています（ちなみにシュミット氏は、カーネギーメロン大学とプリンストン大学の理事も務めています）。

　この本は、勉強法が書かれたものではありませんが、読み進めていくと、**Google が急成長した背景には、私たちが勉強を始めるときにも共通する考え方**がありました。それが、「**自分自身の成長の可能性がある専門分野を見つける**」という教えです。

まずは「自分の伸びしろ」を探す

　Google は 1990 年代末、運営していた検索プラットフォームを拡大するため、たった 1 つのことに注力しました。それが「最高の検索サービスの実現」です。

　当時、検索プラットフォームはいくつもありましたが、有力サイトの多くは、さまざまな情報が載っている「ポータル化」を目指し、幅広い興味やニーズに対応すべく多種多様な情報を掲載していました。

　しかし、Google は「検索こそが、急成長するインターネット産業のなかでももっとも重要なアプリケーションの 1 つ」と信じていました。儲かりそうだとか、いずれはポータルサイトにまで手を広げようと考えていたわけではありません。そこで、業界の主要企業がポータル化に邁進するのを尻目に、「検索」に一点集中した結果、世界最大の検索サイトとして名をはせることになりました。中国の古典としても有名な『孫子の兵法』にも「一点集中」という言葉があるので、太古より普遍的な考え方なのでしょう。

　この Google の成功から、勉強についても、「**もっとも伸びる自分の得意分野を見つけて、まず、そこに集中すべき**」と学べるのではないでしょうか。

「学びたい」と思うことは
早いうちから学んでいく

『自省録』
マルクス・アウレーリウス

人生は有限。
いかに早く学び始められるかがポイント

理性にしたがい、必要なことだけをする

　ここで、最高権力者たる皇帝の立場に甘んじることなく、生涯の勉学を重視し、名を成した偉人の話をご紹介しましょう。

　マルクス・アウレーリウスは、西暦121年にローマで生まれました。17歳のとき、皇帝アントニヌス・ピウスの養子となると、161年にローマ皇帝に即位します。戦争や川の氾濫、地震などの災難に相次いで襲われながら、国の統治に汗を流しました。そんななかで、自らを内省した記録を遺したのが名著として名高い『自省録』です。

　『自省録』には「もし、心安らかに過ごしたいならば、多くのことをするな」「必要なことのみをせよ。また、社会的生活を営むべく生まれついた者の理性が要求するところのものをすべてその要求するがままに為せ」とあります。これは**「心に決めたやるべき大切なことがあれば、自分の心を信じて進んでいきなさい」**ということではないでしょうか。

人生は有限だから、知識の追求は急ぎなさい

　さらに、アウレーリウスはこういいます。

　「人生は1日1日と費やされていき、次第に少なくなっていく。それのみか、次のことも考慮に入れなくてはいけない。すなわち、たとえある人の寿命が延びても、その人の知力が将来も変わりなく事物の理解に適し、知識の追求に適するかどうか不明である。なぜならば、もうろくし始めると、自分自身をうまく用うること、義務の1つひとつを明確に弁別すること、すでに人生を去るべき時ではないかどうかを判断すること、その他すべて、このようによく訓練された推理力を必要とする事柄を処理する能力は真っ先に消滅してしまう」

　つまり、**年老いていくと能力は必然的に落ちていくのだから、知識の追求、つまり「学ぶ」ということは今すぐにでも始めなさい**ということです。アウレーリウスは、学びの重要性を理解し、実践していた人間でした。しかし、これは決して「若いうちに勉強したら、老後はダラダラ過ごしてもよい」……ということではありません。それはアウレーリウスが死ぬまで哲学を学び続け、「ローマ五賢帝」と呼ばれる存在になったことからも、うかがい知ることができます。

37

「小さな成功体験」を重ねて 自分でやる気を生み出す

『結果を出せる人になる！「すぐやる脳」のつくり方』
茂木健一郎

POINT

脳内のドーパミンが新たな「やる気」を生む

「成功体験」でドーパミンを増やす

　勉強をするために、やる気を出すというのは非常に重要ですよね。試験が近いから勉強しなきゃいけないとしても、やる気がなければ体が動きません。では、やる気はどうしたら湧いてくるのでしょう？　脳科学者の茂木健一郎氏は、「過去の成功体験がどれくらいあるか」が大きな要因といいます。

　仕事や勉強での成功体験というと、「ちょっと困難な状況を打破して、結果を出すことができた」なんてケースが多いのではないでしょうか。そういった経験をより多く、より蓄積しているかが重要だというのです。**成功体験の経験が多いほど、脳内物質である報酬系のドーパミンが増えていき、新たなやる気が生み出されていく**わけです。

自分で成功かどうかを決めて、脳を喜ばせる

　成功体験といっても、質は問いません。世間に認められるような立派な賞をとるとか、学年で1番の成績をとるなどといった大きなものでなくてもまったく構わないのです。

　それこそ「毎日腕立て伏せを30回やるぞ」と目標を定めて達成できれば、立派な成功体験。「手帳に書いたTODOをこなすことができた！」でもよいでしょう。1分の遊びでも、1分の仕事でも、なんでもいいので「これをやるぞ」と決めて、やってみる。他人にどう思われるかはまったく関係ありません。成功したかどうかも、自分で決めてよいのです。

　そんな「小さな成功体験」を積み上げていくことで、自分自身でドーパミンを生みだしていくわけですね。

「私なんてどうせ誰からも期待されてないし……」などと愚痴をこぼしてしまうのは、「やる気を出す」ための戦略としてあきらかに間違っています。自分で自分の課題を見つけて、クリアできれば「できた！」とたっぷりほめて成功体験とする。**「できた！」の連鎖で、やる気はいくらでもつくり出せる**のです。

　ぜひ、「小さな成功体験」を積み重ねられる目標設定をしてクリアしていき、自ら「やる気」をつくり出していきましょう。

STUDY

8

自分が影響を受けている人を思い浮かべると、意志は強くなる

『最高の自分を引き出す法　〈DVDブック〉』
ケリー・マクゴニガル

POINT

意志の力は勝手に湧き出るものではなく、つくり出せるもの

意志力は「感染」して高くなる

　続いては、勉強を続けるための「意志力」についてふれましょう。

　スタンフォード大学で教鞭をとるケリー・マクゴニガル氏は、「意志力」についての講義を行なっています。「目標を達成するためには、強い意志力が重要だ」と説いているわけですが、意志力を高めるにはさまざまな方法があるといいます。その1つとして挙げられているのが、「感染」です。

　ハーバード大学の研究者の論文でも、「意志力は自己コントロールだけの問題ではない」とあります。たとえば「肥満」が家族や友人の関係から伝わりやすかったり、逆に「禁煙」すると身近な友人や家族もやめるといったケースがあります。なぜ意志力が感染するかというと、**自分の好きな人や尊敬する人が変化を起こすと、脳が自動的にその人の変化なり目標を「自分のもの」として取りこんでしまうから**だといいます。

あの人を思い浮かべてみよう

　人間の脳にはミラーニューロンと呼ばれる細胞が多数存在しますが、この細胞は他人が考えていることや感じていることに対し、つねに注意を払っているそうです。そのせいで、他人の意志力が感染しやすくなるわけですね。そのため、自分の人間関係を意識して、**自分が影響を受けている人、目標や価値観を共有している人を思い浮かべると、意志力が強くなっていく**といいます。

　この脳のクセを利用して、勉強に向き合う姿勢や成績に関して尊敬できる身近な人を頭に思い浮かべてみましょう。きっと、「よし、あの人のようにやってやるぞ！」と意志力が高まっていくはずです。

> もっと　ランクアップ！
>
> 「血糖値が上がると、意志力の活動が活発になる」というイエール大学の研究もあります。適度な糖分をとって血糖値があまり低くならないようにコントロールしながら、強い意志を手に、勉強に励んでいきましょう。

まずは「没頭感覚」を目覚めさせる

『本当の「頭のよさ」ってなんだろう?　勉強と人生に役立つ、
一生使えるものの考え方』齋藤孝

「好き」になりやすい体質を目指そう

「勉強にハマる」感覚を目覚めさせる

前項で「意志力」のお話をしましたが、そもそも勉強を自然に続けてしまえる人もいます。そんな人たちは、なぜなんなく勉強が続けられるのでしょうか？明治大学教授・齋藤孝氏が本のなかで、そのヒントを語っています。

勉強が得意で毎日続けられる人というのは、「勉強が好き」という感覚を持っています。イヤイヤ苦しみながらでは、なかなか続きません。ただ実は、最初から勉強が大好き！　という人はあまりおらず、多くの人は「途中まで苦しかったのに、あるところからスッとラクになった状態」を経験しています。

これはスポーツでも見られる、「ゾーン」と呼ばれる状態。**「没頭感覚」ともいいますが、この感覚を味わうと苦しさがなくなって充実感を得られるようになり、「またやりたいな〜」と思えるようになる**のです。

そして、この「没頭感覚」というのは誰もが持ち合わせているのですが、眠っていることも多いもの。ですから、「没頭感覚を目覚めさせる」ことが、何をするにも重要なポイントになってきます。

敵は「食わず嫌い」にあり

昔を思い出してみると、子どもの頃は誰もが砂遊びに夢中になったり、部活動でスポーツに打ち込んだり、友だちとのおしゃべりに時間を忘れたりしたものです。こうした「夢中になる感覚」を知ることで、勉強にも仕事にも活かせるようになってきます。

没頭感覚＝夢中になる力を身につけるために、まずは「夢中になれることを増やしていく」ことが重要になりますが、そのためには「食わず嫌いにならない」ように気をつけましょう。

自分の知らないことが目の前に現れたときに、「知らないから……」と無視するのではなく、「知らないからこそ知ってみよう！」と興味と好奇心を持って、まずは飛び込んでみることが大切です。その結果、「イマイチだったな」ということもあるかもしれませんが、もしかしたら「これは好きかも！」と感じるものに出会う可能性も高くなります。**「好き」を多く持つ人は「夢中になる力」が強くなり、勉強であろうと仕事であろうと楽しんで没頭できる**というわけです。

43

10

幅広い興味を持つことで さらに「新しい洞察」を 生み出すことができる

『RANGE　知識の「幅」が最強の武器になる』
デイビッド・エブスタイン

特定分野だけの勉強には要注意！ 幅を持たせるほど成果も上がる

同じことの繰り返しだけでは、変化に弱い

　プロのスポーツ選手やお医者さんなど、特定の技術に特化した職業を目指す場合にはできるだけ早く、狭く、技術を習得して専門特化するほうがいいでしょう。本書の勉強法でもいくつかご紹介していますが、同じことを繰り返す反復も重要で、経験を積むことで直感も正確になっていきます。

　しかし、このやり方の場合、ルールが少しでも変わってしまうと、柔軟性を失ってしまう難点もあります。研究によれば、経験豊富な会計士が、控除額に新しい税法を適用するよう言われると、新人よりもうまく対応することができなかったそうです。

　これは組織行動学の研究に基づくもので、研究に携わったエリック・デーン氏によれば、この現象を「認知的定着」と呼ぶのだとか。それを避ける方法として彼が提案するのは、**1つの領域内でも取り組む課題を多様なものにすること**。これを彼は、「片足を別の世界に置いておくこと」と表現しています。

幅広い興味を持つ人ほど成果を出しやすい

　心理学者であるディーン・キース・サイモントン氏は、クリエイティブな成果を上げる人は、「狭いテーマにひたすらフォーカスするのではなく、幅広い興味を持っている」と述べています。**「この幅広さが、専門領域の知識からは得られない洞察を生み出す」**というのです。実際に、いわゆる「成功した人」は、ある分野で得た知識を別の分野に応用するのがうまくいっており、「認知的定着」を避けるのが上手なのだそうです。

 ランクアップ！

　専門分野に特化するだけでなく、豊かな趣味を持つことはよいことです。オススメは芸術。たとえば、著名な科学者は、ほかの科学者と比べて、音楽や絵画、彫刻やガラス細工など芸術的な趣味をたしなんでいる割合が非常に高いといいます。

11

我流に陥ることなく、優れた人物から学ぶ

『なぜ、優秀な人ほど成長が止まるのか
何歳からでも人生を拓く7つの技法』田坂広志

POINT

成長の途中で立ちはだかる「壁」に注意しよう

優秀な人ほどぶつかってしまう、いくつもの「壁」

　勉強を進めていくと、優秀な人ほど成長が止まってしまうことが多いといいます。なぜ成長が止まってしまうかというと、「成長の壁」に突き当たるから。成長の壁には種類がいくつかあり、それらを乗り越える技法は異なります。特に重要な「壁」と「乗り越え方」を取り上げていきましょう。

　まず1つめが「我流の壁」。それなりに優秀で器用な人ほど、自己流の勉強方法を編み出してしまいがちです。しかし、基本を身につけていないことが多いので、応用の問題が出てきたときに正しい対処ができなくなってしまいます。**どんな問題が出ても正しく対処できる人は、「優れた師匠から基本を学んでいる」**という点が異なります。勉強の場合には優れた先生や優れた教科書などに当たるでしょう。今は YouTube などでも優れた先生を探すことができます。我流に陥ってしまわないよう、優れた教師から基本をしっかり学びましょう。

「エゴ」を客観視して冷静になろう

　もう1つご紹介する壁は「エゴの壁」です。誰の心にも、親やクラスの友人など「まわりの人から評価されたい」といったエゴがあります。エゴはモチベーションにもつながることがあるので必ずしも悪いものではありませんが、時に嫉妬心や功名心のような形で、周囲の人との人間関係を損ねることもあります。「自分が評価されるべきなのに、なんでアイツばっかり！」といった感情ですね。

　こういったときの対処法は、**「否定も肯定もせず、ただ、静かに見つめる」**というものです。「自分は、あの子の成績に嫉妬しているなあ」と、否定も肯定もせず、ただ「事実だけ」を静かに見つめてみましょう。不思議とエゴの動きは収まっていくはずです。こうして**客観的な視点を育てていくと、いつでも冷静でいられる自分に成長することができる**のだといいます。

　勉強を続けていると、いずれ壁にはぶつかるものです。ただ、その壁の種類と乗り越え方をしっかりと押さえておけば、大きな苦労をすることなく学力を伸ばしていけるのではないでしょうか。

成功している自分の写真を見て
イメージを極限まで高める

『9割受かる勉強法』
松原一樹

先にうまくいっているイメージを持っておこう

なりたい自分になっている自分をイメージしよう

「受験に合格して、〇〇大学に入りたい」「就職試験に合格して〇〇会社に入りたい」など、目的を強く持っている場合には、ぜひ「合格した自分」を強くイメージするのと同時に、そのイメージを深める「行動」をしてみましょう。たとえば実際にその大学に足を運んでみるとか、入りたい会社のオフィスビルの前に行ってみるとか、**なりたい自分になっている自分を、より具体的にイメージできるようなことをしてみる**のです。

入りたい大学の前で写真を撮って、勉強をしながらそれを眺めていると、徐々に「合格するのが当たり前だ」と思うようになっていきます。そしてやがては、「自分はもうここの大学生じゃないか？」と思えるまでイメージを高めましょう。

脳の力、「観念運動現象」を利用する

これは何もおかしな話ではなくて、脳の力として「何かを強くイメージするとその方向に向かって行動するようになる」という**「観念運動現象」**を利用した活動なのです。試合前に「新記録を出してガッツポーズをとっている様子を、脳内でイメージしておく」といった方法を実行しているプロのアスリートもいるとか。この現象を利用すれば、合格などといった大きな話だけでなく、日々のちょっとした勉強にも活用することもできますね。

たとえば分厚くてむずかしそうな参考書を使って勉強している際に、「この参考書をやりきった！」という写真を先に撮ってしまうとか、テストが終わったあとに点数がよくて「バンザイ！」と喜んでいる写真を先に撮ってしまうといったことですね。**写真を眺めているうちに、その状態が自分のなかに刷りこまれていき、本当にそうなるように行動できるようになる**わけです。

もっと **ランクアップ！**

写真を撮ったら眺めるタイミングも重要で、就寝時や起床時も2〜3分見ることでより効果的に刷りこまれるとか。ぜひ、眠る前や起きぬけに試してみましょう。

49

13

勉強の「呼び名」を変え、行動を「点数化」する

『小学生の子が勉強にハマる方法』
菊池洋匡／秦一生

取り組むものの「呼び名」をやさしくする

名前というのは大事です。勝手なイメージではありますが、先生の名前が「鬼塚」だとちょっと怖い感じがしますし、「シュンスケ」という名前はとても足が速そうな感じがしませんか？

それは勉強も同じことです。勉強には「強」という字が含まれているためなのか、「勉強しなさい」といわれると、どことなく圧迫感がありますよね。

そこで、**目の前の勉強をやるときに名前を変えてしまうというのは、1つの工夫になります**。たとえば、算数や数学をやるときには「パズル」、計算問題や社会の問題をやるときには「クイズ」など、ちょっと名前を変えるだけで途端にハードルが下がって取り組みやすくなるものです。お子さんや友だちと問題を出し合うときには、「続いての問題！　デデン！」などと効果音をつけるとより楽しくなるかもしれません。

あらゆる行動を「点数化」してゲームにしてしまおう

さらに、あらゆる行動を「点数化」するというのもよい工夫といえます。「家に帰ってからテキストを1ページ解く」「1日で単語を10個覚える」など、やるべき行動に「1ポイント」「5ポイント」などの点数を設定しておきます。そうすることで、途端に行動が軽くなっていくものです。

合計得点によって、何か「ご褒美」が設定されていてもよいでしょう。勉強の名前を「パズル」や「クイズ」に変えることもそうですが、**ポイントが入るというのも「ゲーム感覚」が加わるので、行動へのハードルがぐっと下がる要素になる**わけです。大人であれば「自分との勝負」になりますので、「勝ちたい」という気持ちがむくむくと湧き上がってくるはずです。

そもそも人間は、マイナス面を指摘されるのを嫌がります。できなかったことで減点するより、できたことで加点して、やる気をどんどん出していきましょう。

結果から逆算して
「勉強戦略」を立てていく

『45歳から5億円を稼ぐ勉強法』
植田統

中高年からでも、戦略次第で成長できる

大人の勉強は「結果を出すこと」がすべて

48歳から勉強を始めて50歳で司法試験に合格。54歳にして弁護士として独立し、55歳で名古屋商科大学教授に就任したのがこの本の著者である植田統氏。人生100年時代といわれる現在、"45歳"であれば、まだ折り返し地点にも立っていません。そこからさらに勉強を重ねていけば、知的刺激に満ちた実りある生活を実現できると植田氏はいいます。

大人が勉強する際に大事なのは、「結果から考える」ということ。子どものときに学ぶ「社会に出るための勉強」と違って、「大人の勉強は結果を出すことがすべて」と考えるわけです。そして、結果を出すためには、どういう勉強法が正しいのかを考えていくべきだといいます。

「勉強戦略」は、企業の戦略立案と同じ

結果から考えるというのは、具体的にどういうことでしょうか？　たとえば何かの試験に合格したければ、まず試験問題を見てその傾向と対策を考えますよね。ところが、多くの人は「勉強」と聞くと、教科書の最初のページを開いて基礎の部分からやろうとしてしまうのです。そうすると、時間がかかりすぎてしまい、試験にたどり着くまでに挫折しやすくなってしまいます。結果を出すことが重要なのですから、<u>最短距離で結果に到達できる勉強戦略</u>を考えないといけません。

これは、企業の戦略立案と同じで、まずは「外部環境」を分析していきます。資格試験なら、「その試験制度がどう変わっていくのか？」「どんな能力がテストされているか？」を調べていくのです。

次に、「競合環境」を調べます。同じ目標を持って勉強する人はどれほどいて、彼らはどのくらい勉強しているのか、レベルはどれぐらい高いのか。

そして、最後は「自己分析」です。自分の強みや弱みを客観的に見ながら自分のポジションを理解します。

外部環境、競合環境、自分の強み・弱みを踏まえて、「勉強戦略」を立てていくと、時間のない社会人でも、ムダなく結果が出る勉強ができるのですね。

15

マルチステージの「人生100年時代」では、年齢の壁を壊していく

『LIFE SHIFT』
リンダ・グラットン／アンドリュー・スコット

POINT

長い人生で必要なのは、固定観念を持たずに勉強を続けること

「世代の壁」を壊して、さまざまな視点を持つ

　これからの時代を生き抜くためには、どのような勉強をしていけばよいのでしょうか？　そのヒントがロンドンビジネススクールの2人の教授が書いてベストセラーになった『ライフ・シフト』のなかにありました。ここでは、「年齢の壁を壊していきなさい」と書かれています。

　今の教育機関の多くは年齢で階層化されていて、中学、高校、大学、大学院と、対象年齢がほぼ決まっています。そうなると、まわりを見わたしても同世代ばかりになってしまい、異なる年齢層の人たちと接する機会がありません。その結果として、異世代への偏見や固定観念が醸成されることにもなってしまうのです。しかし、これからの時代を生き抜くには、いくつもの視点を持っていなければなりません。そのためには、**年齢の壁を壊して積極的に異世代が混ざり合う場に身を投じていくべき**というのです。

マルチステージの人生では「学び」が重要

　そもそも、人類の寿命が伸びて「人生100年時代」に入ってくると、これまでのように「教育期間中に学校で学ぶ」「会社に入って仕事をする」「老後を迎える」という「3ステージの生き方」では機能しなくなります。3ステージの人生に代わってこれから登場してくるのが、**「マルチステージの人生」**で、生涯に2〜3つのキャリアを持つようになり、人生のなかで多くの「キャリア間の移行」を経験するようになるわけです。**必要なのは柔軟な思考であり、変化を恐れないことであり、学びを続けること**です。そういった意味でも、柔軟な思考を得るためには同年代ばかりのコミュニティで心地よく過ごしていてはいけません。

　昨今ではテクノロジーの進化で学習の形態や場面、料金の選択肢も広がりつつあります。自らの学習のあり方を自分で決めていく人も増えていくはずですので、変化を恐れずに学びを続けていきたいものですね。

　古代ギリシアの哲学者ソクラテスもこんな言葉を残しています。「勉学は光であり、無学は闇である」（『ソクラテスの弁明・クリトン』プラトン（岩波書店））。さあ、光の差すほうへ進んで行きましょう。

EPISODE

夢中になりすぎて殺されるほど 勉強大好き！なアルキメデス

　古代ギリシアの科学者である**アルキメデス**は、今から2000年以上前の紀元前3世紀に活躍した人物です。物理学の法則として有名な「アルキメデスの原理」は、ご存じの方も多いでしょう。

　アルキメデスが生まれ育ったのは、イタリアのつま先にあるシチリア島・シラクサ。当時のイタリアはローマ軍が勢力を拡大しており、シチリア島に攻め込んでいる状況でした。そんななかアルキメデスは、持ち前の頭脳を活かしていくつかの軍事技術を発明し、それによって故郷であるシチリア島の防衛に貢献していたのです。

　アルキメデスには夢中になりすぎると、まわりが見えなくなる習性がありました。たとえば「金の冠に混ぜ物がされて、冠の職人が金をネコババしているらしい」という話を王から聞いたアルキメデスは、近所の銭湯で風呂に入っているときにお湯があふれるのを見て、「そうか、同じ重さでも混ぜ物があったら体積は違うはずだ！」とひらめきました。そして彼は、お風呂から飛び出すと、全裸のまま「エウレカー！（見つけたぞ！）」と叫びながら、アイデアを書きとめるために家まで走っていったといいます。

　そんななか、ローマ軍の兵士たちは、お祭りの日にシチリア島シラクサへと侵入することに成功します。「アルキメデスは必ず生け捕りにしろ」といわれていた兵士が彼の姿を見つけたとき、測量器を使って何かを計算していました。兵士が声をかけてもまったく気づかないので測量器を取りあげようとすると、アルキメデスは「邪魔するな！」と抵抗し、兵士と争った末に刺殺されてしまったのでした。

教訓

勉強に夢中になりすぎて、
まわりが見えなくならないように注意！

インプットする

CHAPTER

2

16

「アウトプットする」前提で
インプットする

『学び効率が最大化する　インプット大全』
樺沢紫苑

POINT

インプット前に、少しの工夫で記憶力は高められる

「アウトプット」の前提があると、記憶力が上がる

本を読んだり、講演を聴いたりしても、なかなか記憶に残らないと悩む人は多いかもしれません。この章では見聞きした記憶を定着させ、効率よく覚える記憶術を中心に、おもに勉強に関するインプットのことについて紹介していきます。

1つめはベストセラー『インプット大全』のなかから、**「インプットをする際に"アウトプットする"ことを前提にする」**という工夫をご紹介しましょう。

ロンドン大学の研究で、あるものを暗記する際に、一方のグループには「これを暗記してもらったあとにテストをします」と伝え、もう一方のグループには「これを暗記してもらったあとにほかの人に内容を教えてもらいます」と伝えたそうです。その後、暗記テストをしてみると、「あとでほかの人に教えてもらいます」と伝えたほうが、高い得点を取ったという結果が出ました。

アウトプットする予定を「無理やり」つくってしまおう

前提条件を変えるだけで記憶力が高まったのは、「あとで人に教える」という心理的プレッシャーがかかって緊張状態になったためだといいます。人間は適度な緊張状態になると脳内物質ノルアドレナリンが分泌され、集中力が高まって記憶力が高まる……ということなのです。ですから、何かを強く覚えたいという場合には、たとえ「無理やり」にでも、アウトプットする予定をつくってしまうとよいでしょう。教える相手は友だちや恋人、家族でもOK。「この内容を、明日わかりやすく教えるね」と**自ら心理的プレッシャーをかければ、インプットの量と質が高まるはず**です。

> **もっと** ランクアップ！
>
> 最適なのが、勉強や趣味のコミュニティです。たとえば読書コミュニティで行なわれるように「3分で紹介する」「仕事に役立つ内容を発表する」などとアウトプットの目標設定が細かく定まっているほど、インプットの量や質が変わってくるはずです。

17

「今しかできない勉強」と「いつでもできる勉強」の区別をつける

『東大式節約勉強法　世帯年収300万円台で東大に合格できた理由』布施川天馬

アウトプット式の勉強の時間と場所を押さえておく

考えておきたい「負荷」と「優先度」

　勉強にはインプットとアウトプットがあります。この章ではインプットについて取り上げていますが、暗記や読書などをして**「知識を頭に入れるための勉強」がインプット**です。そして**アウトプットというのは、「インプットしたことを頭のなかで定着させるための勉強」**で、書き出したり問題を解いたり人に説明するなどのことです。

　インプットもアウトプットも勉強にはどちらも重要な要素で、どちらが優れているとか、どちらか一方だけをやっていればいいということはないのですが、最初に考えておきたいのがそれぞれの「負荷」と「優先度」です。これらを考慮しておかないと、勉強の組み立てがうまくいかなくなり、時間をムダにしてしまうなど非効率な状況に陥ってしまいます。

アウトプットを計画してから、インプットの勉強を考える

　インプット式の勉強は知識を頭に入れるので、本を読んだり、動画を見たり、目や耳から入れていく勉強が主体となります。一方でアウトプット式の勉強は、ノートに書いたり、問題集を解いたり、時には声に出してみたりするため、実施できる場所や時間が限られるケースが多くなります。

　満員電車のなかで立ちながらテキストを広げて問題集を解こうと思っても、まわりの人の迷惑になってしまうので、なかなか実践できませんよね。そのため勉強をする際には、**「今しかできない勉強」と「いつでもできる勉強」の優先度を区別しておく必要がある**わけです。

　自分の部屋で勉強できる状態なのに、いつでもできるインプットの勉強をやってしまい、あとで移動中にアウトプットの勉強がしたくてもできなかった……といったことは、よく起こります。**アウトプット式の勉強は「アウトプットしかできない場所と時間帯にねらってやる」**ようにあらかじめ計画しておき、残りの「いつでもできる勉強の時間」をインプットの勉強にあてれば、効率のよい勉強ができるようになるでしょう。

18

暗記対象が「マクロ暗記」か「ミクロ暗記」か分類してから覚える

『勉強大全　ひとりひとりにフィットする1からの勉強法』
伊沢拓司

「何を覚えるか?」という対象によって、記憶法を変えよう

「マクロ暗記」は全体をつかむ

暗記をするときは「分類」をしましょう、と勧めるのは「東大王」でも有名な伊沢拓司氏。伊沢氏のいう「分類」とは、暗記すべき対象を「マクロ暗記」か「ミクロ暗記」かを分ける考え方のことです。

マクロというのは、「大きな範囲で見る」という意味です。つまり、**マクロ暗記というのは「大枠で覚えておけばよいもの」に適した暗記法**。たとえば仕事における「プレゼン」や、数学の「証明」などがそれに当たります。**一字一句を正確に覚えるのではなく、全体の構成やつながりを覚えておけばよいわけです。**

そのため、覚え方としては「少しずつ覚えていく」や「構造を再現できるように反復する」といったことがポイントになってくるといいます。さらに、構成が「いくつのピースでできていたか」は押さえておくようにしましょう。たとえばプレゼンだったら「起・承・転・結の４構成になっている」、国語の文章問題だったら「序論・本論・結論の３構成になっている」などです。

「ミクロ暗記」は完璧を目指す

反対に、細かなところまで見ていくのがミクロ。**漢字や英単語、歴史の年号など、テキストに書いてあることを「そのとおり再現することに意味があるもの」がミクロ暗記すべきもの**です。ですから、意識すべきゴールは「完璧を目指す」です。ざっくり覚えていても、完璧にできなければバツになってしまいますので、覚え方としてやはり「定着するまで繰り返す」ことが必要になります。ただ漢字や英単語などはボリュームが多いため、最初から最後まで通してやっていたら繰り返す時間がありません。ですから、10ページとか20ページ程度に区切りながら「ここからここまでを完璧にできたら、次に進む」というパターンでやっていくほうが定着しやすいでしょう。

覚えようとしている対象が「マクロ暗記」か「ミクロ暗記」かを見きわめ、効率よく記憶していきましょう。

インプットする

「はじめて」の経験とセットで覚えたい記憶を刷りこむ

『誰でもできるストーリー式記憶法』
山口真由

普段と違う「インパクト」で、記憶力は向上する

スーパーエリートが推奨する「はじめての記憶」

東京大学在学中に司法試験に合格し、法学部を首席で卒業。財務省に入省し、退官後に弁護士登録。そんなエリート中のエリートである弁護士の山口真由氏は「記憶は単体でなく、ストーリーで覚える」ということを推奨しています。「ストーリーで覚えるとよい」といった内容は、『図解　10歳若返る！　簡単に頭を鍛える法』（三笠書房）などをはじめ、ほかの書籍でも多く語られることです。なかでも山口氏が特に強調するのは**「はじめての記憶」**です。

たとえば、通学で毎日のように渋谷を通る人は、渋谷の街並みについてなんとも思わないかもしれません。しかし、上京してはじめて渋谷の街を見た人は強烈なインパクトを受けているはず。

満員電車でも同じことがいえます。毎日乗っている人はなんとも感じませんが、はじめて乗る地方の人や海外の人にとっては衝撃の出来事でしょう。こういった**「はじめて」の出来事と「覚えたい記憶」を結びつけると、圧倒的に覚えやすくなる**わけです。たとえば、「はじめて行った駅前のオシャレなカフェで、今まで食べたことのないフワフワのパンケーキを食べながら、二次関数のことを勉強したなぁ」といった具合です。

「標準」を設定し、そこから外れる行動をすると忘れにくい

とはいえ、はじめての出来事はなかなか毎日のように経験できるものでもありませんね。そこで山口さんが唱えるのは、「日常において一定の規則性（標準）を見い出し、そこから意図的に外れることで、自然とインパクトが与えられるようになります」ということ。

たとえば、毎日通学や通勤で同じ時間の2両目の電車に乗るとします。それを、あえて6両目に乗ることで「はじめて6両目に乗った」経験が得られます。その**標準と外れた6両目の車内で、覚えたいテキストを読むことで、「はじめて6両目に乗ったときに読んだ内容」として、普段よりも記憶力が上がる**というわけです。ぜひ、意図的に外した行動と記憶をセットにして、記憶力を高めてみましょう。

20

「雪ダルマ式記憶術」で
効率的に覚える

『出口汪の「最強!」の記憶術』
出口汪

POINT

全体を俯瞰するのではなく、1点から広げていく

「核」を意識してインプットしていこう

みなさんは、何かを覚えるとき、どのように覚えますか？ 記憶の方法として、特別に意識していることはあるでしょうか。

代々木ゼミナールや東進ハイスクールで国語科講師を務めた出口 汪 先生は、「物事はたいていさまざまな知識が関連づけられている」といいます。ですから、軸となるものをしっかりと理解して、次に全体を俯瞰するべきだというのです。**「核」を意識して核となることにフォーカスしてインプットしていけば、その周辺の事柄も次第に理解できるようになる**。つまり、1つの事柄のまわりにいろいろな事柄がつながっていき、絡み合っていき、どんどん知識が「雪ダルマ」のように膨らんでいくのです。

知識の雪ダルマはどんどん大きくなる

仮にあなたが、ユニクロに勤めていて会社の歴史を勉強しようとしているとしましょう。そうした場合、単純に歴史年表とにらめっこをして順番に目で追っていても、なかなか覚えられません。

このとき、たとえばロングセラーアイテムの1つ「フリース」に注目して、これを「核」として置いてみます。まず、「フリース」が登場した時代背景から調べているうちに、どんな世相だったのか、どんなものが流行していたのかがわかってきます。さらに、ではなぜその時代にフリースが爆発的に売れたのかを調べてみると、日本のファッションのトレンドや歴史についてもわかってくることがあるはずです。加えて価格の変遷も見ていくと、次第に日本経済の動向や景気の変化なども見えてくるでしょう。

そうして、**「フリース」を中心としてファッション業界や日本経済の景気変動にまで目がいくようになる**。

これが**「雪ダルマ式記憶術」と呼ばれるもので、関連するものを数珠つなぎにしていくことで、効率的に記憶していける方法**なのです。

インプットする

67

21

新しい知識は
既存の知識と紐づけて
「イモヅル式」に記憶する

『東大教授の父が教えてくれた頭がよくなる勉強法』
永野裕之

記憶力は覚え方ひとつで強化できる

「過去の記憶」と「新たに覚えたい記憶」をつなげる

　1つの記憶から、2つ3つの記憶とつなげていき、さらに忘れにくくする……この1粒で何度もおいしいのが、前項であげた「雪ダルマ式記憶術」と、ここで紹介する**「イモヅル式記憶法」**です。

　たとえば、北海道・宮城県・大阪府・埼玉県・千葉県・福岡県という6つの道府県を覚えようとしても、脈絡がないのでなかなか覚えるのは大変でしょう。「あれ、宮城だっけ？　宮崎だっけ？」と間違えてしまう可能性もあります。ところがこれに「プロ野球のパ・リーグ球団を持つ道府県」という意味が加わると、途端に覚えやすくなります。6つの道府県は「プロ野球」「パ・リーグ」という枠でまとめられているからです。

　このように、**新しく覚えなければならない知識を、すでに頭にある知識と紐づけて記憶する方法が「イモヅル式記憶法」**です。頭のなかでほかと関連づけられた知識は、記憶の網からすり抜けにくくなります。

イモヅルには「感情」も取り入れて強化しよう

　受験生の強い味方である「イモヅル式記憶法」を、さらに強力なものにする方法があります。それは**「感情」を入れる**ということ。先ほどの「6つの道府県とプロ野球のパ・リーグを紐づける」の例でも、実際に埼玉・所沢の西武球場に応援に行って「清原のホームランを見て感動したことがある」という野球ファンであれば、さらに「埼玉県＝プロ野球、パ・リーグ」の記憶は強固に結びついているはずです。

　もし、記憶したいものがある場合には、すでに頭にある知識と紐づけるだけでなく、それに対して感情も取り入れられないか考えてみましょう。

　たとえば人の名前を覚えるにしても、単なる「田中さん」ではなく、「営業の田中さん」と情報を紐づけ、さらに「営業成績が2期連続トップで優秀な田中さん」などと、驚きや感嘆などの感情を付加するようにして、記憶をさらに強化していきましょう。

インプットする

69

22

まず覚えてから
「消える」ノートに書いていく

『現役東大生がこっそりやっている、頭がよくなる勉強法』
清水章弘

ノートをとるときに「丸写し」は厳禁

「3回読んで記憶したもの」を書く

　授業を受けたり、問題を解いたりと、勉強をしていると「ノート」を書く機会は多いと思いますが、そのノートの取り方でも「記憶効率」がぐんと変わってくるので工夫してみましょう。

　黒板に書いてあること、テキストに書いてあることをそのまま丸写しでノートに書いても、記憶には残りにくくなってしまいます。それもそのはず、丸写しをしようとすると、「写す」という作業に集中してしまうからです。

　記憶するためにノートをとりたいのであれば、まず「覚えてからノートに書く」ということがポイント。

　黒板に書かれたことを覚えたいと思ったら、まず「頭のなかで3回読んで記憶」します。そして、記憶した頭のなかのことをノートに書いていく。このひと工夫だけで、記憶の定着が変わってくるそうです。

自分で書いたノートを「問題集」にして、さらに記憶する

　また、ノートを書くときにも工夫次第で記憶力向上が図れます。それは、**重要なキーワードや覚えたいポイントは「オレンジ色のボールペンで書く」**というものです。英単語や歴史などの学習で赤い下敷きを載せると文字が消える問題集がありますが、あれを自分のノートでつくってしまうのです。自分で書いてアウトプットしたあとに、そのキーワードを考えながらインプットしていく……こうしていくことで、より頭にしみ込んでいくわけです。

もっと ランクアップ！

　ノートを書いたら、2日後や2週間後にノートを読み返して、過去の自分自身に挑戦してみましょう。また、書くときのオレンジ色のボールペンは消せないものを使うと、より緊張感が増して効果的になりますよ。

23

「カクテルパーティー効果」で 情報をインプットする

『脳が良くなる耳勉強法』
上田渉

POINT

覚えたいものは音声で インプットできるように意識する

「ながら聴き」で、いつでもどこでもインプット

インプットは「視覚から」の方も多いかもしれませんが、ここでは「聴覚」を用いた記憶法を紹介します。

あなたは、「オーディオブック」を使ったことはあるでしょうか？　オーディオブックとは、本を音声で読み上げてくれるサービスのことです。最近はオーディオブックで聴ける本の種類も増えているので、ビジネスや英語や韓国語などの勉強に利用する方も多いと聞きます。これを使い、知りたい情報を効率よくインプットするのです。

何かをしながら本の内容を聴いて、内容が頭に入るの？　と疑問に思う人もいるかもしれません。しかし、こうしたときには「カクテルパーティー効果」が働くもの。**「カクテルパーティー効果」とは、パーティー会場のようにたくさんの人がいる空間でも、自分の名前を呼ばれるとちゃんと聴こえるように、「自分に必要と考える音だけ選択して認識する」という働き**で、心理学者コリン・チェリー氏によって提唱されました。

「ながら聴き」なら、移動中やお風呂に入っているとき、トレーニング中や休憩中でも勉強（インプット）ができますね。何度でもくり返し聴くことで、記憶定着への効果も高まるはずです。

記憶したい英単語や歴史の年号、資格試験の内容、ビジネスのノウハウなど音声で再生できないかどうか検討し、環境を整えてみましょう。

ただし、「ながら聴き」がいいとはいっても、歩いているときや自転車・自動車の運転中に音声に集中し過ぎると、危険なことも（条例で禁止されている自治体もあります）。十分気をつけてくださいね。

 ランクアップ！

「カクテルパーティー効果」は音声だけに限りません。人間の認識には、何か1つのテーマについて考えながら町を歩いているとき、「テーマに関連する情報だけが目に飛び込んでくる」働きがあります。探したい情報がある場合は、意識してみるとよいでしょう。

文章を読む前に
「文章の外」からヒントを得る

『「読む力」と「地頭力」がいっきに身につく　東大読書』
西岡壱誠

一言一句を追わずとも、文章は正確に理解できる

長文問題を解くなら、まず「問題文」を読む東大生

インプットとして本を読むことは当然ながら必要になってきますが、難解な本は読み解くのに時間がかかってしまうもの。また、試験では国語の長文読解問題などは、やはり時間がかかってしまいますよね。

その解決方法が、ベストセラー『東大読書』のなかにありました。

東大生というと、「地頭がよくて読解力があるから、難なく文章を読みこなせるのだろう」と思われがちですが、必ずしもそんなことはありません。**いちばんの違いは、「ヒントを探す力」**。たとえば長文読解問題が出た場合、東大生は長文には目もくれず、真っ先に「問題文」に目を通すのです。

周辺情報を見て、「こういう内容かな?」と予測をする

なぜ、最初に問題文を読むのでしょう? 実は問題文のなかには、その長文の内容を問う問題がズラリと並んでいるため、そこから「長文の内容をだいたい把握できる」というのです。

同じように書籍やWEBサイトの記事などを読むときも、最初に「リード文」や「文章の見出し」をチェックしていきます。このように**「文章の外のヒント」をあらかじめ吸収しておけば、文章のおおよその全体像を把握することができ、過去に読んだものと関連づけることもできる**のです。多くのヒントがある状態で本文を読み始めれば、すばやく、正しく読むことができるわけですね。

 ランクアップ!

書籍であれば、「カバー」や「帯」、「もくじ」や「はじめに」に目を通しましょう。ここから、どのような内容の本なのか、ある程度推測できます。あとは、本当にほしい情報が書いてあるか、推測が正しいかどうかをサッと確認していくだけで、すばやくほしい情報にたどり着くことができます。一言一句を丁寧に読まなくても周辺情報を先に見ておけば「すばやく」「正確に」読むことができるのです。

内容を忘れたくなければ
「15分単位」を意識して読む

『読んだら忘れない読書術』
樺沢紫苑

POINT

頭に残る読書のコツは、
「15分単位」と「睡眠前」がポイント

読書は、最初と最後の「集中のピーク5分」を利用する

　学びといえば、教科書やテキストを読むことも多いでしょう。そこで、勉強する方にピッタリの効果的な読書法を、精神科医の樺沢紫苑氏の書いた『読んだら忘れない読書術』から紹介します。

　樺沢氏いわく、脳科学的に見ても、「極めて集中した仕事ができる時間のブロック」が15分といいます。**具体的には、高い集中力が維持できる限界が「15分」で、普通の集中力が維持できる限界が「45分」**なのだそうです。また、何かをするときの集中力は最初と終わりの5分程度で特に強くなるらしく、それぞれ「初頭努力」「終末努力」と呼ぶのだとか。

　ですから、本などのテキストを読むときは、「15分」で区切ってみましょう。15分で読書をすると、最初の5分と終わりの5分で、15分のうち10分も高い集中力を維持できます。**15分サイクルを何度か繰り返すことで、「記憶力の高い状態の読書時間」をつくり出すことができる**というわけです。

「追想法」を活用してひらめきを起こそう

　さらに効果的な読書をするなら、睡眠前がよいでしょう。ある研究によれば、睡眠前には音楽鑑賞をするなどの行動よりも、読書がもっとも高いリラックス効果が得られると報告されているのだとか。**寝る前に読書や勉強をすると、寝ている間には新しいインプットが入ってきませんから、情報の衝突が起こらずに頭のなかの整理が進んでいき、記憶されやすい**のだそうです。

 もっと ランクアップ！

　実際、寝る前にインプットをし、「目が覚めたときには、問題の解決方法を思いついている！」と深く念じて眠りにつくと、朝になったらひらめきが起こりやすいのだとか。これを「追想法」と呼ぶそうですが、ノーベル賞を受賞した湯川秀樹博士や、エジソンなどもこの「追想法」をよく活用していたようです。

26

線を引いて
「能動的な読書」をする

『三色ボールペンで読む日本語』
齋藤 孝

本を読むときは3色の線を引いていこう

明治大学の教授で、日本語に関する本を数多く著している齋藤孝氏は、本を読む際にどんどん線を引くことの重要性を説いています。線を引く方法について10年もの間、いろいろな方法を試した結果、決定的に違ったのが「3色のボールペン」で書きこんでいく方式だったといいます。

なぜ、本に線を引くとよいのでしょうか？　線を引く箇所は自分の思考や判断がさらされるため、線を引くときには「ある種の勇気」が必要になります。勇気を持って読書をしていくことで緊張感を味わうことができ、その状態で読み進めることで自然と「文章を読むことに身が入ってくる」というのです。**ただなんとなく読むだけでは到底得られない「強い結びつき」が、本と自分との間に生まれてくる**のだとか。

客観と主観で読む「能動的な読書」

線を引く目的は、まず「読んでいる本を要約」すること。そのなかで3色を使い分けるのですが、青は、「まあ大事かな」と思ったところに引きます。「客観的な要約として必要」と思う箇所ですね。そして赤は、「すごく大事！」と思ったところです。その文章を要約するうえで外すことのできない「最重要箇所」です。そして緑は、「一般的には大事じゃないかもしれないけど、個人的には面白いなと感じたところ」に引いていきます。

青と赤は「客観」で、緑が「主観」なのが最大のポイントです。自分なりの感性で「緑」を引き、大事だと思うところには基本的に「青」を、そして、ここぞ！　というところで「赤」を使うわけです。

こうした線の引き方で読書を続けていくと、**文章の要約力が身につくと同時に主観的な視野も広がり、思考力が高まっていきます**。さらに、3色の線が引かれた本を読み返すことで**より深く思考でき、立体的で充実した読書にもつながっていきます**。ただ漫然と読書をして満足するのではなく、ぜひ3色ボールペンを片手に「能動的な読書」をしてみてはいかがでしょうか。

情報は意識して
「ビジュアル化」する

『勝間和代のビジネス頭を創る7つのフレームワーク力
ビジネス思考法の基本と実践』勝間和代

■問題
ヒロシくんは1000円を持って
1個75円のタマネギを5個と
1本85円のニンジンを4本
買いに行きました。

Q1
タマネギの値段は
全部で
いくらでしょう？

こーんな
ダラダラした
文章題も

図解にすれば
この通り!!

お金
1000円

ヒロシくん

タマネギ1個 75円

5個全部でいくら？

画像は圧倒的に多くの情報量を伝えられる

「学校教育では、言葉と数字に比べ、視覚化力を上げる訓練をほとんどしていない」と指摘するのは、経済ジャーナリストの勝間和代氏です。文字だけでなく、イラストや図表などが加わると非常にパワフルなメッセージとなり、記憶にも残りやすくなります。文字情報はブレが少なく共通認識を持つことができますが、画像はさらに情報量を多く伝えることが可能です。

画像と文字の組み合わせでもっともわかりやすいのは「マンガ」。絵と文字が一体となって私たちの脳を刺激し、どちらか一方だけのときよりも頭のなかにイメージを描きやすくなります。ですから、**覚えたいもの、インプットしたいものがあるときは、イラストや図表をつねに使うように意識するとよい**といいます。

勉強だけでなくコミュニケーションでも重要

覚えても、すぐに忘れてしまう……そんな悩みがある場合は、「情報のビジュアル化」が不足しているのかもしれませんね。**勉強をしてノートをとるときも、図表を入れたり、イラストを入れたり、場合によっては写真を入れたりすることで、記憶の定着をサポートしてくれます。**

「百聞は一見にしかず」ということわざのとおり、数字をつらつら書くよりも「グラフ」になっているほうが理解しやすいですし、動きを言葉で説明するよりも「イラスト」で描写したほうが伝わります。少し手間かもしれませんが写真を差し込んだりすると余計に記憶しやすくなります。これを積極的に活用しているのが雑誌で、新聞も昔に比べると主要な記事にはたいてい図表や写真が入るようになりました。

文字だけだと曖昧に書いてもごまかせてしまうところがありますが、それを図表にするとかイラストで表現しようとすると、自分が本当にわかっているのかいないのかが明確になります。

言葉のレベルだけでなんとなく「わかった」と思うのではなく、**しっかりと理解するためにも図表やイラストで書き記してみるというのは、非常に重要**になってきます。「情報の視覚化」が習慣になるよう、日頃から意識してみましょう。

「推しメン」をつくって ストーリーで歴史を理解する

『勉強が死ぬほど面白くなる独学の教科書』
中田敦彦

「キャラクター」に注目して歴史から学んでいこう

学びなおしの勉強は「歴史」から入ろう

チャンネル登録者数が 350 万人以上もいる「YouTube 大学」。運営している中田敦彦氏は「教育系 YouTuber」として、たくさんの学べるコンテンツを投稿しています。大人にも人気ですが、中田氏いわく、学びなおしがしたいなら最初に手をつけるのは「歴史」がオススメだといいます。

理由としては、「歴史」は横断的な学問で、歴史の知識を軸にしながら文学や政治、経済、アートなどの分野に勉強を広げることができ、自分の頭のなかで知識を 1 つに体系立てて整理しやすくなるから。**さまざまな分野が歴史と紐づいていますから、軸があると記憶に定着しやすい**わけですね。

歴史の学び方についても、面白いアイデアがあったので紹介しましょう。

「推しメン」がいれば、歴史への興味がグッと増す

歴史のなかには多くの登場人物が出てきますよね。オススメは、「推しメン」をつくること。推しメンというのは、好きなアイドルグループのなかで特に大好きな 1 人のことです。推しメンができるとその人のことを調べたり、関連するグループのことを調べたりしますが、その動きを歴史の勉強にも当てはめるということですね。**1 つの時代のなかで好きな「推し」を決めて、その人を中心としたストーリーで歴史を理解する**ようにします。たとえば、イケメンで有名な新選組・土方歳三を「推しメン」にすれば、複雑な幕末の関係図が、「函館に散った幕臣のストーリー」としていきいきと理解できるでしょう。

もっと ランクアップ！

歴史の勉強では、偉大な人ほど「しくじり」の経験に注目すると、そのギャップで楽しく学べるとか。さらに、「キャラづけ」することで親しみが増し、忘れにくくなります。たとえば、織田信長に対して「バイオレンス＆イノベーション」など、特徴的な人にキャッチコピーをつけて勉強を楽しみましょう。

日本史を学ぶなら
「学習マンガ」から始める

**『学年ビリのギャルが1年で偏差値を40上げて
慶應大学に現役合格した話』坪田信貴**

POINT

子ども向けの学習歴史マンガは最高の教材

歴史マンガは小学館か学研のものがオススメ

日本の歴史は小学校から学びますが、大学の受験でも日本史として登場します。また大人の教養としても、日本史を知っておくことはとても重要です。ただ、歴史は長い年月のことを扱ううえに、多くの人物や出来事が出てくるため、なかなか細部までは覚えにくいものですよね。

そんな日本史に対して「学習マンガ」を推奨しているのが、映画にもなった「ビリギャル」で有名な著者の坪田信貴氏です。ビリギャルこと教え子のさやかちゃんは、歴史が苦手だったそうですが、まずは『**学習マンガ少年少女日本の歴史**』**シリーズ**（小学館）を全23巻読破するように指示したといいます。

難関大の入試に対応できるレベルの知識が得られる

坪田氏は、**「歴史は、歴史に名を遺すレベルの偉人が出演する昼ドラ」**だといい切ります。ですから、その面白さがストーリーとしてしっかり伝わり、欄外にも細かい情報が書かれていて、ボリュームもしっかりある**学習マンガ（特に、小学館か学研のもの）は、歴史を学ぶうえで最高の教材になる**のだとか。

ただ読むだけでなく、「自分がドラマの監督だとして、マンガに出てくる偉人をどの俳優さんにキャスティングするかを考えてみる」ことも推奨していました。そうすることで、時代背景や敵対関係、仲間関係などが身近になり、さらに読みやすくなるというわけです。小学館の学習マンガは欄外の情報までしっかり読みこむと、日本史の全体像をつかめるうえに、難関大の入試に対応できるレベルの知識も得られるそうです。

もっと ランクアップ！

ちなみに、ビジネスの勉強でもマンガは推奨されています。経営コンサルタントの神田昌典氏が書いた『人もお金も動き出す！　都合のいい読書術』（PHP研究所）でも、「泥くさいビジネスの現場知識を知るには、『ナニワ金融道』（講談社、青木雄二）がもってこい」とオススメしています。

復習の間隔を
「意図的に」コントロールする

『最短の時間で最大の成果を手に入れる　超効率勉強法』
メンタリストDaiGo

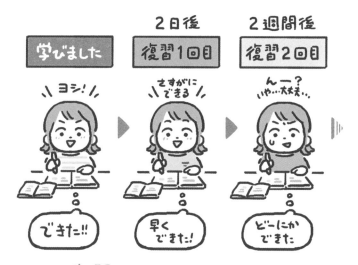

「ウォズニアック式」か「2×2ルール」

　記憶するためのインプットとして「復習」は非常に有効です。ここでは、普通の復習よりも脳に定着する「効果的な復習の方法」を紹介します。

「分散学習」とは、メンタリスト DaiGo さんのベストセラー『超効率勉強法』でも**「強力な手法」**として取り上げられている**「復習の間隔を少しずつ伸ばすテクニック」**です。脳というのは記憶のネットワークを構築するまでに相応の時間を必要としますが、「分散学習」はこの特性を利用したもの。

　では、ベストな復習タイミングはどれくらいなのでしょうか？　研究者のピョートル・ウォズニアック氏が考え出したインターバル復習だと「最初の復習：1～2日後」「2回目の復習：7日後」「3回目の復習：16日後」といった間隔です。この「ウォズニアック式」は脳の特性を考慮したものですが、本書ではもう少し覚えやすいものとして、**「2×2ルール」**というのも取り上げました。それは、**「最初の復習は2日後」「2回目の復習は2週間後」「3回目の復習は2か月後」**と「2」の時期に復習する方法です。

復習時は「インターリービング」を意識する

　さらに、もう1つのテクニックとして「インターリービング」も紹介されています。「はさみ込む」といった英語の意味通り、1回の練習時間の間に、関連性はあるが、異なる複数のスキル練習を交互にはさみ込む手法です。昔は1つの方程式を学んだら使い方までマスターして次に進む「ブロック練習」が定番でしたが、最近の研究では、**1回の授業でさまざまな基礎を学ぶ「インターリービング」のほうが倍近く成績がよくなった**という結果が出ているのです。

> **もっと** ランクアップ！
>
> 　復習をするときは、1つのジャンルだけを何度もくり返すのではなく、3つくらいのジャンルを交互かつ均等の時間ではさみ込むように復習をしていくと、非常に効率的です。休憩をはさむのも、忘れずに！

くり返し学習をする際には 少しだけレベルアップさせる

『子育てベスト100 「最先端の新常識×子どもに いちばん大事なこと」が1冊で全部丸わかり』 加藤紀子

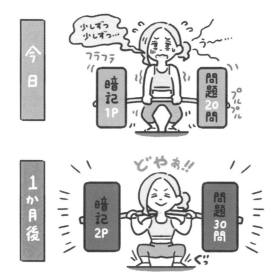

POINT

ただ単にくり返しても意味がない

ただのくり返しは「流暢性の罠」に陥る

　勉強でもスポーツでも定着を目指し、くり返し学習・練習することが求められますが、はたして本当にくり返すだけでよいのでしょうか。発売3か月で全米100万部を突破した『天才！　成功する人々の法則』（マルコム・グラッドウェル著、勝間和代訳、講談社）でも「どんな分野でも約1万時間も取り組めば一流になれる」という「1万時間の法則」が取り上げられ、有名になりました。しかし、2020年に発売された本書では、「心理学の研究によると、やみくもにくり返せばよいというわけでもない」と説明しています。

　具体的には、くり返し学習をする際に「単調な反復」をしないことだといいます。同じ問題集をくり返しやってみたり、同じ漢字をくり返し書いてみたりしても、なかなか記憶には定着しないとか。これは心理学で「流暢性の罠」と呼ばれるそうですが、**解き方や書き方がすぐに思い出せるほどやったということが逆に脳を油断させ、結局すぐには思い出せなくなるという罠に陥る**のだそうです。

限界を超える負荷をかけ続ける

　ではくり返し学習を効果的にするにはどうすればよいかというと、**「変化を織り交ぜる」**こと。反復練習に少し変化を加えた課題を混ぜると、学習能力がアップして記憶も定着するという研究結果もあるようです。問題に応じて解き方を変える必要があるので大変ですが、実際に試験を受けるときはほとんどがはじめて見るような問題ですから、変化があったほうがよさそうですよね。

　ただ変化させるだけでなく、負荷をかけたほうがよいとの説もあります。フロリダ州立大学の心理学者であるアンダース・エリクソン教授は、「超一流の人々は少しだけ限界を超える負荷をかけ続けている」と指摘しています。

　ですから、**くり返し練習で変化を加える際には前回やった問題より少しだけレベルアップした問題も織り交ぜていくと、少しずつ成長する**ことになって、気がつくと並外れた能力を獲得することができるようになるのかもしれません。何も考えずに同じ勉強をくり返すのではなく、少しの変化、そして少しのレベルアップを意識していきましょう。

インプットする

32

つまらないものでも
「反面教師」ととらえれば
学びにつながる

『なんのために学ぶのか』
池上彰

学べるかどうかは、「自分の考え方」次第

反面教師ととらえよう

　学校や資格のスクールで講義を受けたときに、教える人の説明がうまくなかったらどう思うでしょうか？　「先生のせいで覚えられない」「つまらなくて時間のムダ」などと不満を感じるかもしれません。

　元NHKの記者でテレビのニュース解説でも有名な池上彰さんは、こんなとき「反面教師ととらえる」ことを勧めています。つまり「どうしてこんなにつまらないのか」と感じたら、逆に「うまく教えるとはどういうことなんだろう？」と考えるわけです。**「こう伝えれば、わかりやすくなるかも」など教える視点で考えていると、自らの理解も深まる**でしょう。**視点を変えれば、どんな授業でも学べることはある**というのです。

何歳からでも学べることはたくさんある

　池上さんはNHKを退職したあと、54歳から学びなおそうと、3つの大学の社会人講座に通い、前述のような気づきがあったそうです。**大人になってからの勉強というのは、学生のときとは違って、多くの気づきが得られる**と悟ったとか。社会経験を持ったうえで勉強をすると、社会にどう役立つか、ビジネスにどう機能させるか、といったことまで考えられるようになるからでしょう。

　実際に池上さんも社会人としての生活を長く経験したあとで学びなおし、「独学で得た知識が学問的に裏づけられ、大きな自信につながった」といっています。その自信と経験が、誰にでもわかりやすいニュース解説ができる能力を培ったのですね。

 ランクアップ！

　池上さんの姿勢は、「いくつになっても、どんな人からでも学ぶことはたくさんあるんだな」と考えさせてくれます。池上さんのお父様も、寝たきりになってしまってからもベッドで新版の『広辞苑』を読み続けたとか。何歳からでも、学ぶ楽しさを忘れないようにしたいものですね。

33

「10分間の昼寝」で
思考をうまく切り替える

『アタマがみるみるシャープになる!! 脳の強化書』
加藤俊徳

POINT

多忙な現代は、「脳のスイッチ」の切り替えが重要

「寝ないで続ける」のは脳の働きから見て、逆効果

いくつもの教科を勉強していたり、仕事をしながら勉強していたり……現代人の脳は、つねに忙しくフル回転しているのではないでしょうか。より効率的に勉強するには、「脳のオン・オフ」をしっかりと切り替えていくべきなのですが、そのためには「30分単位など時間を区切って行動すべし」と、『脳の強化書』にあります。とはいえ、「時間を区切ったからといってそう簡単に思考が切り替わらないよ」という人もいるかもしれません。

思考を切り替えるもっともシンプルな方法として医学博士の加藤俊徳氏が推奨するのが、「10分間の昼寝」です。「寝てしまったら時間のロスになるのでは？」と心配になるかもしれませんが、実は**短く時間を区切って眠ったほうがスッキリと思考も切り替わり、脳の働きとしても非常に効率がよい**のだとか。

10分の昼寝で、「脳のスイッチ」を切り替えよう

長時間にわたって1つの教科について考え込んでいたり、仕事のことを考えていたりすると、脳の血圧は上昇していくのだそうです。そして、切り替えがうまくできないと脳の血圧は上がったままになり、パニックを起こしやすい状態になってしまうとか。脳の特定の部分ばかりを使いすぎると緊張状態から脱力状態に移行できず、不眠症になってしまう人もいるそうですから気をつけたいですよね。

脳がつねに興奮している状態を休ませるためにも、積極的に「脳のオン・オフ」を切り替えたほうがよいのですが、そのスイッチとなるのが10分間の昼寝なのですね。

もっと ランクアップ！

昼寝の時間は、長くても15分ほど。長すぎる昼寝も睡眠が深くなりすぎるためNGとか。10分だけ目をつぶって静かに過ごすだけでも脳の血圧がスーッと下がり、勉強や仕事にスッキリした状態で臨めます。

34

「モダリティ」を駆使して効率的に記憶する

『脳を活かす勉強法　奇跡の「強化学習」』
茂木健一郎

五感を使って 脳 を刺激すると...

脳

Seeing

Listening

Speaking

Reading

記憶の
定着率が
上がる!!

POINT

脳の働きを意識した勉強法で、
記憶の定着は格段に変わる

五感をフルに使って勉強しよう

　記憶というのは、脳の側頭葉の側頭連合野に蓄えられていくといいます。この側頭連合野は、「モダリティ」と呼ばれる、五感や心的態度などのさまざまな機能を統合する場所です。脳科学者の茂木健一郎氏によると、記憶を定着させやすくするには、この「モダリティ」を使い倒すと効果的なのだとか。

　たとえば英語の勉強をするなら、ただ黙読するだけではなく、耳で聞くのも加えるとよいでしょう。声に出して読んだり、手で書くことを加えたりするともっと効果的でしょう。とにかく**1つだけの感覚に頼るのではなく、「音読する・書く・聞く」を複合的に駆使して問題を解いていくことが、脳に記憶を定着させるための非常によい方法**なのだといいます。

弱点は、「得意分野」にできる

　勉強するジャンルは、人によって得意・不得意があると思います。弱点を補う勉強は気が重いかもしれません。ただ、弱点を努力で克服しようとするとき、人間は高いモチベーションを発揮するようになっているのです。**不得意なことが少しずつできるようになるにつれ、脳内ではドーパミンがたくさん出て、脳の強化学習がより進んでいく。その結果、いつのまにか得意分野になっていた**……というケースは非常に多いようです。弱点があったら、むしろ「チャンス！」と思ったほうがよいかもしれませんね。

もっと ランクアップ！

　自分の弱点を振り返る……あまり愉快ではありませんが、このときこそ成長のチャンス。特に、「ミスに気づいた瞬間」が最適のタイミングだといいます。将棋の世界でも、棋士は対局直後に対戦相手と局面を振り返ります。技術の向上を目指して、直前まで敵味方だった2人が、徹底的に議論するわけですね。これは勉強でも仕事でも同じこと。弱点を見つめて、得意分野に変えてしまいましょう。

35

セミナーや講義には
「質問を用意」して参加する

『ニューエリート』
ピョートル・フェリクス・グジバチ

セミナー前	セミナー当日	すると…
聞きたいことを **メモする**	用意した 質問をする	理解が 〝ぐっと〟 深まる!!

POINT

情報にふれる際には、事前の準備が重要

あらかじめ質問をつくっておこう

　社会人の方は、学びの場として、セミナーに参加したり講義を受講したりする機会もあるのではないでしょうか。刺激的な言葉や、納得の名言などを聞くと「いい話を聞いたなあ」とは思うものの、はたしてしっかりと自分の人生に役立てられているでしょうか。

　元 Google のピョートル・フェリクス・グジバチ氏は、セミナーや講義を受ける前に必ず行なう準備があるといいます。それが、「質問をつくっておく」こと。セミナーや講義を受けるにあたっては「なんらかの学び」を求めているはずですが、それを明確にしておくのです。

　自分が現在抱えている課題や悩みを明確にし、事前にまとめた質問を持って会場に向かいましょう。**前もって質問を用意しておくと、情報の入り方がまったく変わってくる**ようです。

質問があれば、情報は早く集まる

　たとえば、会社で人事部に所属していて、採用のことで悩んでいるとします。採用がうまくいっている会社が担当者向けに「採用セミナー」を開催するというので、あなたも参加するとしましょう。

　このとき、「何かいい情報があったらいいな」などと課題意識を持たずに参加してはいけません。「どうやって人材を募集しているのだろう？」「採用時の条件はどのようなものを設定しているのだろう？」というように、具体的な疑問をいくつも頭に浮かべておいて、話を聞いていくわけです。

　疑問に答えてくれるような話の展開になればすぐにインプットできますし、もしなければ質疑応答の際にすぐに手を挙げれば、疑問に感じたことはすべて解決できます。

　公演やセミナー、研修は、自分に何が必要で、何がわかっていて、何がわかっていないかをきちんと把握したうえで受講しましょう。そうすることで、必要な情報がすばやく集まってくることになります。そして、情報が集まったらすぐに実践→定着という動きも忘れずに行なってくださいね。

テキストでも教科書でも「疑う」クセをつける

『なんのために学ぶのか』
池上彰

自分の頭で考え、検証することが「学ぶ」ということ

異なる意見を受け入れる準備をする

「社会人になってからは、"学生時代に習ってきたことは全部本当"という常識が通用しなくなる」と語るのは、ジャーナリストの池上彰さんです。

世のなかに出ると、誰もが認める正しいことなんてものはなかなか存在しません。同じテーマの本を読んでも、意見が真逆のものがあったりします。

決められた計算式や方程式を学び、先生が書いた黒板の文字を写して終わり……といったように、日本の教育は高校くらいまで、受け身一辺倒のものが多いようです。大学に上がる年、18歳くらいからは、より強く**「意見は1つではない」と考え、さまざまな考えを受け止める姿勢を持ちたいもの**ですね。

「本当かな?」と立ち止まる姿勢を持ち続ける

そのとき**大切なのが、「疑うクセをつける」**ことです。これは実際、池上さんが大学生時代、経済学部で勉強しているとき、ゼミの先生に「すべてを疑え」といわれていたのだとか。特に経済学の分野は学者や学派によって学説がまったく異なり、本もそれぞれの立場で書かれています。そうなると、書かれていることがすべて正しいとはいえないわけですね。ですから、ゼミの先生のいう通り、すべてを疑ってかかるというのは大学以降に学習する際、とても重要なスタンスなのではないかと思います。

もっと ランクアップ!

講義を受ける際にはそのテキストや教科書をすべて信用するのではなく、「ここではこう主張されているが、これは本当なのだろうか?」と疑問を持ちながら読み進めていきましょう。**「学ぶ」というのは、自分の頭で考えながら、他人の主張を検討したり、データや根拠を調べて分析する**ことなのです。つねに疑問を持ちながら、自分の頭で考えて学びを進めていきましょう。

「シータ波」を出せば 記憶力は向上し続ける

『のうだま2　記憶力が年齢とともに衰えるなんてウソ!』
池谷裕二／上大岡トメ

記憶力が衰えるのは年のせいではない

記憶したければ海馬から「シータ波」を出すこと

「歳をとると忘れっぽくなるし、新しいことなんて覚えられない」と思われがちですが、実は記憶力の衰えは加齢のせいではありません。

脳のなかで記憶をつくるのは、「海馬」と呼ばれる場所です。海馬がしっかり活動していれば、ものごとがよく覚えられ、活動が弱い場合はあまり覚えられません。アルツハイマー病の脳で最初に病変が現れるのが海馬だといいますから、いかに重要な部位かがわかりますよね。

この海馬で発生する脳波が「シータ波」というもの。脳波というとアルファ波などが有名ですが、**記憶に関連するのはこの「シータ波」**です。動物実験によれば、シータ波は出ているときと出ていないときがあるとか。記憶力を高めるにはシータ波をバンバン出したいところですが、どうすれば意識的に出せるのでしょうか?

記憶力低下の犯人は「マンネリ」

シータ波の敵は「マンネリ」。毎日同じことをくり返す日々を送っていると、シータ波は出にくくなってしまいます。なぜなら、**シータ波の好物は「新しいこと」**だから。

自分が好奇心を持って熱中する状態になっているときに、シータ波は強く出るのです。

なんにでも興味を持って新しいことを学んでいけば、記憶力はいくらでも向上させることができます。何歳になっても、変化をおそれず、積極的にチャレンジの日々を過ごしていきましょう。

> **もっと ランクアップ!**
>
> 強制的にシータ波を出すための方法として、もっとも簡単なのが「歩く」こと。ただし、家のまわりを毎日グルグル散歩……などはNG。散歩でも、行ったことのないはじめての場所を歩くときに、より強いシータ波が出るのだとか。

記憶力を強化するために
若いころの写真や思い出の品を飾る

『ブレイン・ルール　健康な脳が最強の資産である』
ジョン・メディナ

昔を懐かしむのは、脳にとって悪いことじゃない

ノスタルジアで脳は活性化する

この本をお読みのあなたが小学生でもないかぎり、「懐かしい」という感情はよく理解できると思います。小さいころに行った場所や、友だちと遊んだ思い出など、写真でも見ようものなら止まらなくなるでしょう。

こういった、いわゆる**「郷愁（ノスタルジア）」**は、社会心理学者たちによると「脳にとってよい影響を及ぼす」といいます。

特に**「楽しかった思い出」などのよい思い出に関して、ノスタルジアを頻繁に感じる人は、そうでない人より心が健康**だとわかっています。

思い出を懐かしむと、脳のなかでは「記憶システム」が作動します。ノスタルジアを感じている間、中脳の黒質や腹側被蓋野という箇所が活性化するのです。これは、どちらの領域も「報酬」に関与しており、その感覚を引き起こすのに「ドーパミン」を使っていることがわかっています。

ドーパミンは脳と体のどちらにとってもきわめて有益な神経伝達物質で、学習や記憶、やる気や集中に関わってきますが、歳を重ねるごとに脳は総じてドーパミンが不足してきます。ですから、**昔を懐かしむというのは大いにやるべき**なのです。「記憶力が悪くなって、昔のことばかり思い出す。新しいことを学ぶなんて無理……」と落ち込む必要はありません。

「追憶の部屋」で記憶力を増強しよう

ちなみに、脳がもっとも記憶しているのは一般的に10代後半〜20代前半ごろの記憶だそう。

それ以上の年齢の人は「そのころ」を思い出させるものを集めて、部屋に飾るとよいでしょう。「追憶の部屋（ブレインルーム）」とも呼ぶべき場所をつくり、懐かしい品々を並べておくのです。家族や友人の写真、楽しかったイベントの品々、好きだったアイドルのポスターでもいいでしょう。オーディオ機器があれば、当時好きだった音楽を流してもよいかもしれません。昔よく読んでいた本を飾っておいて、パラパラめくるのもいいですね。**過去を遠ざけてしまうのではなく、日常のなかで懐かしんでしまいましょう**。すると、ドーパミンが強い反応を引き起こし、記憶力が強化されるはずです。

マジか！ヤバイ勉強エピソード

EPISODE

44歳から勉強を始めた
執念の考古学者シュリーマン

シュリーマンは北ドイツの貧しい牧師の子として生まれました。子どものときに父から読み聞かせてもらった古代ギリシアの詩人、ホメーロスによる『イーリアス物語』に感動し、その舞台ともなった「トロイア戦争」や「トロイの木馬」の存在を強く信じました。いつか考古学者になってギリシア古代文明の解明をしたいと思いましたが、そのためにはお金が必要です。『イーリアス物語』を書いたホメーロスが生きた時代は、紀元前8世紀。そんな古い神話がベースですから、「あんなの物語の世界でしょ」と誰にも信じてもらえず、政府からもお金は出してもらえません。そこでシュリーマンは、生計を立てるために商業学校で学んだのち、商人として独立します。その後、貿易商として世界中で商売を行なっていき、ついにビジネスの世界で大成功を果たすのです。その過程では語学力が必要でしたが、なんと独学で18か国語を使えるようになったというから驚きです。

事業で成功し財を成したシュリーマンは、41歳で引退しました。幼少のころに父から聞いたギリシア神話の世界、『イーリアス物語』の世界が実在することを証明しようと、夢だった考古学の勉強を開始したのです。やがてシュリーマンは、49歳になって念願のトロイ発掘を成し遂げると、54歳でギリシア本土のミケーネの遺跡を発掘。そこには巨大な王宮の城門や黄金のマスクが発見され、ミケーネ文明と名づけられることになりました。シュリーマンはさらに62歳でも新たにティリンスの遺跡を発掘し「ギリシア考古学の父」と呼ばれる歴史の偉人になったのでした。

教訓　強い情熱さえあれば、
何歳からだって勉強は始められる！

心を整える

整える

CHAPTER

3

mindset

「ウィルパワー」を減らさない
生活習慣を身につける

『自分を操る　超集中力』
メンタリストDaiGo

なんかいつも
"その格好""そのドリンク"
"その席"だよね？

そー！
スムーズに集中
できるように、
選ばないように
してるの！

これがいい！

日常生活で「選択」を減らそう

　勉強を効率的に進めるために、「集中力」が必要なことは疑いありません。この章では、心を整えて集中するための方法や考え方を紹介していきます。まずは、メンタリスト DaiGo さんのベストセラー『超集中力』から。

　そもそも「集中力」は、額の 2 ～ 3cm 奥にある「前頭葉」から発生するもの。前頭葉が思考や感情をコントロールしますが、その力は**「ウィルパワー」**と呼ばれています。ウィルパワーには一定の量があり、集中力を使うと徐々に減少していきます。いかにウィルパワーを減らさないようにするかが勝負です。

　ウィルパワーを減らさない工夫はいくつかありますが、1 つには**日々の生活のなかで「選ぶ」機会を減らすこと**です。Apple の創業者スティーブ・ジョブズがいつも黒いタートルネックを着ていたように、7 日間の着回しコーディネートをあらかじめハンガーにセットしておくなど「選択」を減らす工夫をすれば、ウィルパワーの減少を防ぐことができるでしょう。

集中力を左右する「水分」

　さらに、水分の補給も忘れてはいけません。脳の 80％は水でできているので**、水分の不足はそのまま「ウィルパワーの減少」につながってしまいます**。こまめに水分をとるようにしましょう。

　同じ水分でも、コーヒーやエナジードリンクを飲む際にはコツが必要です。コーヒーは 1 日の適量が 450ml くらい、エナジードリンクは 1 日 125ml くらいです。これを超えると脳への刺激が過剰になってしまうので、注意しましょう。

 ランクアップ！

　コーヒーを飲む際にはヨーグルトを一緒に食べましょう。コーヒーを飲むと 20 分～ 30 分後にカフェインが効いて集中力が高まりますが、90 分～150 分で効果が切れて、体がだるくなってしまうことがあります。
そこで、ヨーグルトなどの乳製品を一緒にとると、その反動を和らげてくれるといいです。

40

マインドフルネスの
トレーニングをして
集中力を高める

『フォーカス』
ダニエル・ゴールマン

「脳内のおしゃべり」を抑えよう

脳内の"おしゃべり"を、いかに静かにできるか

　勉強に集中しようと思っても、頭のなかで別のことを考えてしまう。そんなことありますよね。

　別のことを考えているとき、私たちの思考はたいてい「自分のこと」に向かっています。それは、ほかのやらなければいけない用事であったり、人間関係の心配事であったり。

　このように心がさまようことを、専門用語で「マインド・ワンダリング」というのだそう。カフェなどで他人のおしゃべりが気になって集中できないことがありますが、実は、**集中できない原因の大半は「自分の脳内でのおしゃべり」であり、それを静かにできるかどうかが集中力のキモになる**のです。

マインドフルネスを身につけよう

　脳内のおしゃべりを静かにさせるのは「マインドフルネス」だと、この本では書かれています。マインドフルネスの状態は、「瞑想」によって得られます。瞑想というとむずかしい作法や呼吸法などが必要と思うかもしれませんが、いたって簡単です。その方法は、**全身の五感を自分の呼吸に集中させ、頭のなかにある思考をすべて放棄すればよい**のだといいます。その状態のまま15分間、自分の呼吸に全精神を集中させることで瞑想状態になり、頭のなかでくり広げられるおしゃべりは自然に収まっていくそうです。

　普段、仕事や家事、学校で勉強をしているとき、自分の呼吸に意識を集中させることはあまりないでしょう。しかし、15分〜20分の瞑想の時間を習慣にすることで、体によい変化が起きていくのです。

　先ほどあげた集中力だけでなく、ストレスがかかりやすい状況でも冷静さを保てるようになったり、**心身がおだやかになって幸福感が高まる「リラクゼーション効果」も得られる**とか。いいことずくめのマインドフルネスの習慣、ぜひ身につけたいものですね。

心を整える

集中状態をつくり出す
「バロック音楽」を聴く

『LIMITLESS 超加速学習　人生を変える「学び方」の授業』
ジム・クウィック

好きな歌を聴いて勉強すると…

Oh〜
Oh〜
Oh〜!

進んじゃないニャ〜

…まっしろ…

POINT

アルファ波が出る音楽を聴けば、集中力は深まる

科学的に証明された音楽の学習効果

みなさんは勉強中、何か音楽を流しているでしょうか？ 「音楽が学習に役立つことには、ちゃんとした科学的根拠がある」というのは脳の最適化における世界的エキスパート、ジム・クウィック氏です。

具体的にどのような科学的根拠かというと、たとえばカナダの心理学者であるE・グレン・シュレンバーグ博士が発表した「覚醒度・気分仮説」では、音楽と気分の相関や気分と学習の相関をあきらかにしており、音楽を聴くことで学習能力を高められるとしているそうです。

また、音楽と学習のエキスパートであるクリス・ボイド・ブルワー氏は**「音楽は心身のリズムを落ち着かせ、大量の内容情報の処理と学習を可能にする深い集中状態をつくり出す」**と述べているのです。

では、何が勉強するときに最適な音楽なのでしょうか？

深い集中状態の脳は「アルファ波」を出している

集中するのに適しているのは、BPM（1分間の拍数）が 50 から 80 程度なのだとか。これに当てはまるのは、いわゆる**「バロック音楽」**と呼ばれるもので、**ヨーロッパにおける 17 世紀初頭から 18 世紀半ばまでの音楽**です。具体的には、**バッハやヘンデル、テレマンが作曲したものにこの BPM の曲は多い**ようです（ちなみにバッハの有名な「G 線上のアリア」という曲は BPM が 64 です）。このあたりの BPM の曲を流すと、勉強中に脳からアルファ波が出る深い集中状態に導かれやすく、とてもはかどるようになります。

もちろん、好きなアーティストや「この曲を聴くと元気が出るんです」という理由で、ヒップホップやアイドルの曲を聴くことは否定しませんが、より集中状態をつくり出すためにも流す音楽にこだわってみるのはいかがでしょうか。最近では「勉強用 CD」といった形で前述のバロック音楽がまとまっている楽曲集なども売っていますし、YouTube などでまとめているケースもありますので、自分に合って集中状態がつくれるものを選んでみるのもよいでしょう。

「3首」を温かくすることで ネガティブな気持ちを消す

『大逆転合格する人だけが知っている秘密の習慣』
柏村真至／村田明彦／与那嶺隆之

冬場の試験対策は「冷え」に要注意

試験前のネガティブは「冷え」が原因?

試験を受けようと思うと、どうしても「自分だけが落ちてしまうんじゃないか」とか「ここまで応援してもらったのにダメだったら……」などと、ネガティブな思考がムクムクと起き上がってしまうものです。

その**不安な気持ちの多くは、身体の冷えからきている**というのはご存じでしょうか?

かつて人類は、氷河期を経験しました。寒さをしのぐために衣服が発達したわけですが、当然ながら凍死してしまう人もいました。そのため、寒くなると、DNA に刻まれた「このままでは死んでしまう……」という不安な気持ちが呼び起こされてしまうのです。実際に学習塾などでは、秋から冬に変わる 10 月～ 11 月くらいになると、次々と生徒が弱音を吐かれるようになるのだとか。

血流をよくすれば身体も頭もスッキリ

心の不安が、「身体の冷え」からくるとすれば、温かくすれば解決します。

冬場の勉強中や試験中には、特に首、手首、足首の「3 首」を温めるとよいでしょう。それぞれ太い血管が通っているので、血液を温めることで全身に温かな血がめぐり、効率よく身体が温まっていきます。

指先がない手袋の活用や、靴下の重ね履きもよいでしょう。ネックウォーマーやアームウォーマーなど、手首と足首を巻いて温めるツールも充実していますから、ぜひ活用していきましょう。ただし、しめつけ過ぎには注意しましょうね。血行が悪くなってしまっては意味がありませんから。

 ランクアップ!

本人が気づいていないことも多い、「足先の冷え」。足が冷えると、血行が悪くなって、全身のだるさにつながり、頭も働かなくなるとか。ひどい人になると腹痛の症状が出ることも。朝と晩 10 分ほど、ふくらはぎぐらいまでの足湯に浸かるとよいでしょう。足先から温まり、気持ちも前向きになっていくはずです。

43

学力低下を招く「スマホ」の使用時間を減らす

『スマホ脳』
アンデシュ・ハンセン

POINT

**スマホの使い過ぎは、
ドラッグやアルコールと同様の依存状態**

ジョブズが子どもにiPhoneを使わせなかった理由

iPhone の生みの親であるスティーブ・ジョブズや、マイクロソフト創業者のビル・ゲイツは、自身の子どもにあまりスマホを使わせなかったそうです。現在、大人は1日4時間、10代の若者は5時間ほどをスマホに費やしています。しかし、スマホの使い過ぎは、依存や学力低下、孤独感など、多くの弊害があると警鐘を鳴らすのが、スウェーデン出身の世界的に著名な精神科医であるアンデシュ・ハンセン氏です。

「依存」についてはドラッグやアルコールと同じで、スマホを見ることで新しい快感が得られるために、「見ずにはいられない状態」になりやすいということです。動画やアプリで勉強できるものは増えていますから、勉強の効果は高くなる気もしますが、なぜスマホの使い過ぎが学力低下を招くのでしょうか?

「マルチタスク」は集中力・記憶力を阻害する

ハンセン氏が指摘するのは、「マルチタスク」です。スマホは便利なもので、勉強をしながら片手でネットサーフィンをしたり、友だちからのメッセージに返信をしたり、ニュースを閲覧することもできます。

しかし、スタンフォード大学の研究者が行なった実験で、スマホを使いながら勉強した人と、勉強だけをやっていた人の集中力を測定したところ、「マルチタスク(スマホ)派は集中が苦手」という結果が出たそうです。具体的には、「重要ではない情報も、無視できない状態」で、気が散りやすくなっていたとか。

ほかにも、イェール大学で学び、米国で精神科医を務めてきた久賀谷亮氏の書いた『世界のエリートがやっている 最高の休息法』(ダイヤモンド社)のなかでも、マルチタスクは脳の集中力を下げてしまうことが指摘されています。

私たちは本来、1度に1つのことにしか集中できないものなのです。さらに、記憶力を強化しようとすると、脳細胞間に新しいつながりをつくらなければいけません。そのためには集中する時間が必要になるのですが、スマホの通知がそれを邪魔してしまうわけです。**本人は情報を効率よく取り入れていると思いがちですが、実は記憶力の強化を阻害しているだけ**とは皮肉ですね。

勉強の効果を高めたいなら、スマホの利用は適度にしておきましょう。

115

44

脳のパフォーマンスアップのための
理想の睡眠時間を知っておく

『ずるい暗記術　偏差値30から
司法試験に一発合格できた勉強法』佐藤大和

湿度は40%～60%
まっ暗にする
アイマスク
少し重めの毛布

POINT

勉強は頭が資本。脳の休ませ方も重要

睡眠時間を軸に勉強時間を確保する

「問題集が終わらないので徹夜で勉強するぞ！」などと考えている人はいないでしょうか。特に受験や試験前には「他人よりも多く勉強しなければ」と考えて、睡眠時間を削って勉強にあてる方も多いのではないかと思います。しかし、実は成績のよい人ほどよく寝ているもの。よく寝ているというのは、たくさん寝ていることではなく、「その人なりに満足のいく睡眠をしっかりとっている」ということです。

「満足のいく睡眠」は、人によって異なります。**重要なのは、まず「自分にとっての理想の睡眠時間」をしっかりと把握すること**。睡眠時間を把握したら、その時間以外で勉強時間を確保するようにしましょう。勉強では頭が資本ですから、頭が休まらないと、高いパフォーマンスは発揮できません。

睡眠は、「量」だけでなく「質」も意識する

目覚まし時計をかけずに寝て、自然と気持ちよく目が覚めたときの睡眠時間を何回か計ってみましょう。これが、理想的な睡眠時間の基準になります。

私もそうですが、**一般的な成人であれば7時間半が目安**ではないでしょうか。どうしても7時間半より睡眠時間を削らなければならないときには、「睡眠サイクル」を意識しましょう。睡眠サイクルは浅い眠りのレム睡眠と、深い眠りのノンレム睡眠があり、その繰り返しになっています。レム睡眠が90分おきに訪れるので、7時間半より短くしたいときには6時間を確保すると、比較的気持ちよく起きることができるはずです。

 ランクアップ！

質の高い睡眠のためには、「入眠」も重要です。より早く眠りにつくために、眠る直前までスマホやテレビの画面を見ないようにしましょう。光の刺激があると脳が休まらないため、部屋もなるべく暗くしてください。耳栓やアロマオイルなども活用し、視覚、聴覚、嗅覚も含めて安らげるようにしていきましょう。

45

自分の行動を予約する「タイムボクシング」によって集中力を上げる

『最強の集中力　本当にやりたいことに没頭する技術』
ニール・イヤール／ジュリー・リー

散歩で
リフレッシュ

おやつ

Coffe

「何をするか」「いつするか」を
あらかじめ決めてしまおう

制約があったほうが、やりたいことを進められる

　勉強をしようと思っても、本棚の本が気になったり、スマホを眺めてしまったりと、なかなか集中できないという人は多いかもしれません。集中に費やす時間をつくる**もっとも効果的な方法は、「何をするか」「いつするか」をあらかじめ決めて（時間割を先に設定して）しまう、「タイムボクシング」**だといいます。

「時間割」というと小学校の授業などでは当たり前のように設定されていましたが、**大人になってからの自己学習でも、仕事でも、なんにでもつねに「時間割」を設定**しましょう。いつ、何をするかをあらかじめ決めてしまうのは「制約があってなんだか嫌だな」と思う人もいるかもしれません。しかし、人間の脳は制約があったほうがより集中できるようになっているといいます。集中することで、結果的にやりたいことをやりたいように進められるのです。

ボーッとするのも昼寝をするのも計画に入れてしまえ

　ベストセラー『夢をかなえるゾウ』（文響社）には、関西弁のゾウの神さま、ガネーシャが登場します。ガネーシャは歴史上の偉人を数々育ててきたと豪語するのですが、「一流の人はスケジューリングの綿密さが圧倒的にすごいんや」「孫子くんもいうてるがな。**『算多きは勝つ』**。事前に周到な準備を行ない、それが勝敗を決めるてな」と計画の重要性を強調しています。

「そうはいっても、予定がぎっしり詰まっているのは息苦しく感じる」と思うかもしれません。それならば、「ボーッとする時間」も「昼寝をする時間」も「ゲームをする時間」も、すべて時間割に組み入れて計画してしまえばよいのです。そして、計画通りにしっかりと実行する。逆をいえば、「家族と食事をする」と決めた時間には、スマホを見たり仕事をしたりしようとせず、家族との食事をしっかり楽しみましょう。

　この『最強の集中力』という本にも、**「あなたがその時間に何をしたかは、それほど問題ではない。肝心なのは、計画したことを実行できたかどうかだ」**とあります。まるでボクシングをするかのように、時間に対して「何をするか」を隙間なく打ち込んで、どんどん実行していきましょう。

46

「ディープ・プレイ」と「サバティカル」で思考を磨く

『シリコンバレー式　よい休息』
アレックス・スジョン-キム・パン

長期戦であれば、長めの休暇で遊ぶことも効果的

「勉強疲れ」は、「深い遊び」でとれる

　勉強も、長期にわたるのものとなると、いかによい休息をとれるかが重要になってきます。勉強詰めでは体調を崩してしまいますし、思考も鈍くなってしまうおそれがあるからです。では、世界最先端のシリコンバレーの人たちは、思考を磨くためにどのような休息をとっているのでしょうか？　スタンフォード大学客員研究員でもあるアレックス・スジョン - キム・パン氏は、1つに「ディープ・プレイ」があるといいます。

　ディープ・プレイとは直訳すると「深い遊び」ですが、勉強や仕事以外に何か偏愛する趣味を持つということです。ちょっとゲームをやる、というのは深くありません。ディープ・プレイは、ゲームの域をはるかに超えたもので、絵画や音楽など、個人的な重要性を持つ遊びのことを指します。**勉強による疲れは、単に休むことによってではなく、ほかの部分を使うことによって休まり、強化される**のだといいます。

長めの「思考週間」を設けてみよう

　また、年単位の受験勉強をする場合などは、「サバティカル」も大事だといいます。**サバティカルは「長期休暇」の意味ですが、1日単位で休みを入れていくのではなく、数日から1週間くらいの休みを取ることで創造性を再充電し、思考をクリアにしていきます。**

　たとえばマイクロソフトの共同創業者であるビル・ゲイツは、CEO 兼会長だった時期に毎年1週間、必ず休みを取っていました。仕事だけでなく家族や友人からも離れ、ワシントン西部の小さな別荘で過ごしたとか。そこで彼は、本を読みあさって思考を重ねる「思考週間（シンク・ウィーク）」を設けていたのです。その結果、新しいアイデアや決断を思い切ってできるようになったため、シリコンバレーのいくつかの企業の重役は、ゲイツの「思考週間」をまねるようになっていったといいます。

　特に受験生などは勉強をしていないとあせってしまいますが、長めの休暇をとって勉強から少し離れることで、脳がリフレッシュして、新たな加速力を得ることにもつながっていくのではないでしょうか。

心を整える

121

47

大きな報酬をもたらす
「重要な20%」に注力する

『人生を変える80対20の法則』
リチャード・コッチ

**80%に影響を及ぼす20%を見きわめて、
大きな成果を上げよう**

わずかな努力が、結果の大半を占める「80対20の法則」

「80対20の法則」とは、原因や努力のわずかな部分が、結果や報酬の大きな部分をもたらすという法則です。たとえば、仕事の成果の80%は、費やした時間の20%から生まれており、実際には労力の80%は無駄なものだったりします。1897年にこの法則の基本原理が発見されたのですが、発見者がイタリアの経済学者ヴィルフレード・パレートなので「パレートの法則」とも呼ばれます。

この「80対20の法則」が当てはまる例は数多くあり、ビジネスでいえば「売上の80%をもたらすのは、20%の製品や20%の顧客である」といえますし、社会を見ると「犯罪の80%を20%の犯罪者が占めている」ということがいえるのです。この法則を、勉強にも当てはめて考えてみましょう。

重要な20%を見きわめ、勉強を効率的に

80対20の法則を読み解いていくと、**勉強では努力の平均水準を上げるのではなく、努力を1点に集中していったほうがよい**ことがわかります。たとえば試験を受ける際、試験範囲のすべてを平均的に押さえるのではなく、より点が取れる20%の範囲に集中するといった具合です。

努力を1点に集中するうえでは、どういった要因の20%が結果の80%を決定するのかを、じっくり見きわめる必要があります。そして、集中すべき場所が見つかったら自らの行動パターンを変え、重要な20%に注力していけばいいのです。**「80対20」という考え方から導き出された答えに基づいて行動すれば、これまでより少ない労力で大きな成果を上げることができるはず**です。

 **ランクアップ！**

時間についても、「80対20の法則」は当てはまります。可能な限り80%の部分を「他人に任せられないか」検討して、重要な20%に時間を費やすようにしていきましょう。

48

「多視点法」を使い、
頭の働きをよくする

『考える技術・書く技術』
板坂 元

日々のなかで意識的に脳をトレーニングしよう

目に入ってくるものを言葉にしてみる脳トレ

1973年刊のロングセラー『考える技術・書く技術』のなかでは、「少しでも脳の働きをよくするには、脳を使うことだ」と書かれています。どうしたら脳がスムーズに働き、頭がよくなるのか、気になりますよね。

ここで「ウォームアップ」と著者が呼んでいる、日常生活のなかでも簡単にできる頭のトレーニング方法をいくつか紹介しましょう。

まず、**「次から次へ目に入ってくるものを口に出していう」方法**です。テストでも仕事でも「瞬間的な判断力」が必要になることは多いですが、この **「瞬間的な判断力」を高めるよい練習になる**といいます。

たとえば、歩きながら目に飛び込んできた看板の宣伝文句や標識の文字を口にしてみるとか、デパートに並んでいる商品を片っ端から言葉にする、といった具合です。

多くの視点を持つと、頭が柔らかくなる

「なんでもいいから記憶をする」練習もあります。最近ではスマホにメモする機会も多いですが、電話番号でも住所でも、**「必要なものをなるべく自分の頭で記憶する」クセをつけることは、頭の老化を防ぐ**意味でもよいといえるでしょう。

そして、**「多視点法」**というもの。これは、自分のなかで**「意識的に視点を変化させてみる」**訓練です。

たとえばニュースで「Aさんが批判されている」というものがあったとき、自分自身もAさんに批判的な考えだったとしても、あえて「Aさんを擁護するにはどうしたらいいか」と考えてみます。**常に少数意見の立場で反論を考えてみることは、効果の高い思考トレーニングとなる**ようです。

近代経済学の始祖と呼ばれるケインズは著書『雇用、利子および貨幣の一般理論』のなかで、「株式は、みんながどれを買うかを考えて投資しなければならない」と述べています。「自分がどう思うか」だけでなく「みんながどう思うか」という視点でも世のなかを見わたしてみると、多くの視点を持つためのトレーニングになるのではないでしょうか。

125

「ひらめき」を生むために シャワーや歯磨きをする

『ヤバい勉強脳』
菅原 洋平

試験中

何も出てこない...

トイレに...!!
トイレに行けば
何かひらめく
ような
気がする...!!

プルプル

POINT

「セイリアンスネットワーク」を活発にするため、
刺激を取り入れよう

脳の切り替え役「セイリアンスネットワーク」がカギを握る

テストで答えをひらめいたり、仕事でアイデアをひらめいたり。「ひらめき」は、可能であれば何度でも体験したいものです。ひらめいているとき、頭のなかでは、何が起きているのでしょうか。『ヤバい勉強脳』という本によれば、脳には複数の部位の働きで構成されるネットワークが3つあるといいます。

1つは何かに集中しているときに働く「セントラルエグゼクティブネットワーク」、そしてぼんやりしているときに働く「デフォルトモードネットワーク」、最後に2つのネットワークの切り替えをする「セイリアンスネットワーク」です。**私たちの脳は、日常のなかで「セントラル」と「デフォルト」の2つのネットワークを行ったり来たりしていますが、この切り替えを行なうことが効率よい勉強のカギであり、ひらめきの素**だというのです。

水にふれると、「ひらめき」が生まれやすい

では、2つのネットワークの切り替えをする「セイリアンスネットワーク」を活発にするにはどうしたらよいのでしょうか?

それは「水回りでの作業をやってみる」というもの。たとえばシャワーを浴びるとか、顔を洗ってみるとか、歯を磨いてみるということです。**身体で水温を感じたり、皮膚に刺激が伝わったりすることで、脳のネットワークの切り替えが起こりやすくなる**のだそうです。

ぜひ、勉強の合間に水にふれるような動きを取り入れてみてくださいね。

もっと ランクアップ!

さらに、「同じ姿勢で勉強し続ける」のもやめましょう。姿勢と脳波の動きの関係性について研究した結果によると、**同じ姿勢を続けていると脳波の増減が低下し、疲労感が増す**ことがわかったそうです。座りっぱなしは避けて、30分に1度は立ち上がって歩いたり、水分補給をしたりするとよいでしょう。

50

エリートのように「プレイジャリズム」と「インテグリティ」を身につける

『アメリカのスーパーエリート教育』
石角完爾

> プルアップ方式での鉄則！

| Integrity 誠実であること | Plagiarism ズルをしないこと |

すごく当たり前のことのように思えるけど、実際は情報の出どころまで調べなかったり、ズルしてるな〜…
気を引きしめねば!!

> POINT

道徳的、人格的に信頼される人になろう

特殊な環境で育てられる「プルアップ方式」

　この『アメリカのスーパーエリート教育』という本は、約200校のボーディングスクール（全寮制の寄宿学校のこと。次世代のリーダーを育てる教育機関として知られる）を訪問した著者が紹介している1冊です。著者本人もハーバード大学、ペンシルベニア大学のロースクールを卒業しているエリートの1人ですが、「アメリカパワーの源泉は教育にあるということはあきらか」といいます。

　世界の中学・高校教育には、大きく「ボトムアップ方式」と「プルアップ方式」の2種類があります。

　ボトムアップ方式は、子ども全体を一定レベルに押し上げるために均一の教育をしていくもので、日本の教育は小・中・高・大とすべてこのパターンです。これに対してプルアップ方式は、一部の少数の子どもだけを特殊な教育環境に置いて、ほかの大部分の子どもとは違った教育を与え、彼らが将来社会の指導的立場に就くことによって社会全体をレベルアップしていく、というやり方だとか。

勉強だけできてもダメ。米国のエリート教育事情

　米国には、このプルアップ教育方式を採用した教育機関として、中・高一貫教育の「ボーディングスクール」があるわけですが、そこには、いくつかの厳しいルールが存在するそうです。たとえば、「プレイジャリズム」といってレポートを作成したりするときに、出典を明記することを叩き込まれます。米国社会では、**「人の考えないことを考えることにこそ価値がある」とされるため、無断借用でモノマネをするだけだと徹底的に処罰される**というわけです。

　また「インテグリティ」といって、**「道徳的、人格的に信頼できること」が求められます**が、一例として「校則違反の現場に居合わせた生徒は、全員共犯者とみなされる」という校則もあるとか。法律や校則に自分が違反していなくても、その現場に居合わせていたら、「自分の意見もいわず態度にも示していない＝同罪」とされるのです。

　現代では人並外れた高い知識を犯罪に悪用する人もいます。勉強だけできればいい、ということではなく、人間としても人格的にも成長し、オリジナリティあふれる人間を目指したいものですね。

51

「本物の論理力」のためには現代文を解き続ける

『新・独学術』
侍留啓介

「具体」と「抽象」を行き来できるようになろう

「どういうことか、説明せよ」という問い

『新・独学術』の著者、侍留啓介氏は、シカゴ大学経営大学院で MBA を取得したあと、経営コンサルティング会社のマッキンゼー・アンド・カンパニーに入社、現在は、外資系投資ファンドに勤めながら大手学習塾の取締役を兼務し、京都大学でファイナンス理論を研究中……というエリート。

そんな華々しい経歴を持つ侍留氏が「現代文を大事だ」と力説するのですが、その理由は、「**どんな教科でも、どんなビジネスでも必要な"論理力"が鍛えられる**」ということでした。

現代文では「論理力」が鍛えられる

現代文の試験では、「どういうことか、説明せよ」という問題がよく出てきますが、これがとても重要な問いだといいます。

「どういうことか」を聞くのは、具体的な文章を抽象化したり、あるいは逆に、抽象的な文章を具体化させたりすることが目的です。**この「具体」と「抽象」を行き来するスキルは、学生時代の試験だけでなく、将来にわたって非常に有益なものになります。**

また、現代文で論理力を身につけることで、自分の主張に対して、きちんと理由を述べられるようになっていきます。大切なことは、主張自体の良し悪しではなく、主張を支える理由が明快かどうか。

「なぜ、そう思うの?」と尋ねられたときに、明解な理由を理路整然と述べられる人は、相手から信頼されるようになります。反対に、理由の部分があいまいになってしまうと、「この人、大丈夫かな……」と相手は途端に不安になってしまうのです。

 **ランクアップ!**

ロジックといえば「数学」と思われがちですが、実は現代文も、客観性や論理を試す問題が多いもの。現代文を集中的に解き続けることで論理力が身につきやすくなっていきます。

頭の栄養になるよう、古典を「噛むように」読む

『ものを考える人　「頭をよくする生活」術』
渡部昇一

自分の知的欲求に沿う本を、「何度も」読もう

「考える力」をつけるには、本を読む

　みなさんは、勉強以外でどれだけ読書をしていますか？　英語学者で上智大学の名誉教授も務めた渡部昇一氏は、「昔も今も、洋の東西を問わず、ひとかどの人物は、注意深く読書する習慣を大切にしている」と書いています。たとえば、16世紀のイギリスの哲学者、フランシス・ベーコンは「読書は充実した人間をつくり、会話は機転の利く人間をつくり、書くことは正確な人間をつくる」と語ったとか。

　「人間にとって、読書が大切」という考え方は古くから変わりなく、読書が単に知識を集めるだけでなく、人物の懐を深める作用を持つことも示唆しています。

　さらに読書は、物事についてさまざまな視点から、多彩な理解を試みる手助けをしてくれます。渡部氏はこれを**「発想の乱反射」と呼んでおり、勉強に限らず仕事にとっても有益である**と説いています。

よく噛んで消化できる「自分だけの古典」に出会う

　では、どのように読書をすれば勉強や仕事に有益で、「人物の懐を深める作用」をもたらすことができるのでしょうか。それは、「自分の境遇に率直に従った読書を心がけること」だといいます。

　ポイントは、「自分の関心をそそるもの」がそこにあるかどうか。自分のなかに知的欲求がないうちは、どんな名著を読んだとしても、何も蓄積されません。逆に、その欲求があれば、何を読んでも心の滋養になるというのです。

　前述のフランシス・ベーコンは「ある本はその味を試み、ある本は呑み込み、少数のある本はよく噛んで消化すべきである」ともいっているとか。この**「よく噛んで消化すべき少数の本」にめぐり会うことが、重要**なのです。

　特にオススメしたいのが、「古典」。長く読み続けられてきただけに、「噛む」だけの価値が十分にあります。もちろん、マンガでも童話でも、名著に劣らない価値を持っているものはあります。長期間にわたって、何回もくり返し読んでいるような本なら、それは「その人だけの古典」といえるでしょう。ぜひともくり返し本を読んで、考える力をつけていきましょう。

53

集中力アップをねらうなら 「立ちながら」勉強する

『最短の時間で最大の成果を手に入れる　超効率勉強法』
メンタリストDaiGo

集中したいときはスタンディングデスクを使おう

勉強しながら、運動ができる

運動が体にいいというのは誰でもわかりますが、部屋にこもって勉強をしていると、なかなか運動もできないもの。しかし、メンタリストDaiGo氏は「勉強中に運動をする」ことを推奨しています。勉強中に運動？　と思われるかもしれませんが、「スタンディングデスクを使って、立ちながら勉強する」ことを勧めているんですね。座りっぱなしは体によくありませんし、運動不足を解消するという意味においてもここ数年で人気になり、GoogleやFacebookの社内でも積極的に利用されているとか。

体にいいだけでなく、**テキサスM&A大学の実験によると、スタンディングデスクでの授業を受けた小学生の作業の達成度が12%も向上**。さらに、子ども同士の私語も減り、グループディスカッションへの積極性も改善されたというから驚きです。

立つだけで前頭葉の血流もアップ

作業の達成度が12%も向上したということは、集中力が1時間あたり7分ほど伸びた計算ですね。**スタンディングデスクを使った生徒は、脳の前頭葉の血流が上がったという研究結果もあります**。人間の足は血液を心臓に送るポンプの役割をしますから、立ちながらの勉強で脳に血がめぐりやすくなったのではないでしょうか。実際、DaiGo氏のYouTube動画を見ると立ちながら話をしているものが多いのですが、ご本人も「オリジナルのスタンディングデスク」をつくったようです。効果を実感しているのでしょう。

もっと ランクアップ！

スタンディングデスクは、最初のうちは体が慣れないので5分〜10分でワンセットにし、少しずつ時間を伸ばしていくとよいそうです。基本は座りながら勉強をして、より集中を高めたいときに立ちながらやるといいかもしれません。ぜひ使い分けて、最強の集中力を手に入れたいですね。

135

試験における
「KSF」を見つける

『レバレッジ時間術』
本田直之

カギとなる「成功要因」をまず押さえよう

効率よく合格に導く「KSF」

ビジネス用語で、事業や業界においてカギとなる成功要因のことを「KSF（Key Success Factor）」といいます。この「KSFを見つける力」はビジネス社会のなかでとても重要なものですが、資格を取るとか受験をするうえでも、同様に重要であると考えます。たとえば、同じ大学を受験する場合でも、真面目で学校の成績のいい「秀才」が不合格になる一方で、たいして勉強もしていなかった生徒が合格することがありますよね。これは、「受験のKSF」を見つけて、効率よく試験対策しているか否かの差だということです。

受験におけるKSFは2つあります。

1つのカギは、**「過去問」**でしょう。**受験においては過去問を分析して、「勉強する範囲をまず絞り込む」**のが合格の鉄則といえます。しかし、真面目な人は、教科書を全部覚えようとしたりしてしまうので、結局、どれも中途半端になって失敗してしまうのです。

天引き貯金で時間をつくり、作戦を練ろう

受験におけるもう1つのKSFは、**「合格最低点ねらい」**です。

合格をするには基準点があります。その点を上回っていれば合格というラインです。**わざわざ100点満点を取る必要はないのです。6割なり7割なり、最低ラインさえクリアできていれば合格できます**。

「過去問」と「合格最低点ねらい」には、いずれも事前に頭を使って時間をかけて取り組む必要があります。しかし、「時間がないから」とあせってしまい、KSFを見つけることをせず、結局は遠回りして失敗してしまう人が多いのです。

時間をつくるためには、「天引き貯金」の発想が必要だといいます。

お金を貯めるためのもっとも確実な方法は、収入のうちの一定額をあらかじめ貯蓄に回し、残ったお金で生活をする「天引き」という方法です。同じように「時間が余ったらやろう」と思っていても、「いつか」「そのうち」なんてやってきません。重要なのは、**やりたいこと・やるべきことのための時間を、あらかじめスケジュールから「天引き」しておくこと**なのです。

137

「ステレオタイプの脅威」に
気をつける

『スタンフォードが中高生に教えていること』
星友啓

「決めつけ」が、得意不得意を分ける

大学は文系や理系に分かれていますが、文系の人は本当に国語が得意で、数学が苦手なのでしょうか。スタンフォード大学の心理学教授であるクロード・スティール先生は、「ステレオタイプの脅威」という研究で有名です。

ステレオタイプというのは、社会のなかで「性別や人種、年齢などの属性によって、評価を決めつける」ことを指します。「白人のほうが頭がよさそう」「男子だから理系分野が得意」「歳をとったから記憶力が落ちた」といったことですね。科学的には相関関係がないと立証されていても、こういった**ステレオタイプを意識してしまうことによって、その通りの影響が現れてしまうという現象を「ステレオタイプの脅威」**というわけです。

必要以上のプレッシャーを与えない

実際の実験でも、アフリカ系アメリカ人の生徒に対して、「黒人は白人と比べて知能が劣るのでは」というネガティブなステレオタイプが発生する形で知能テストをしたところ、普通にテストをするよりも成績が下がってしまったようです。また、女性に女性を意識してもらうような状況をつくって数学のテストに臨んでもらったところ、普通にテストをするよりも成績が下がってしまったこともあったとか。**こういったステレオタイプで「レッテル」を貼ってしまうと、本来のパフォーマンスが発揮できない事態**になってしまいます。

逆に「優秀な父の息子だから勉強ができるはず」とか「小さいころから国語が得意だったから、あなたはできる子よ」とポジティブに表現したとしても、必要以上のプレッシャーになってしまうと指摘されています。なんらかの理由で成績が落ちてしまったときに「父は優秀なのになぜ……」「小さいころから得意だったはずなのに……」と余計に落ち込んでしまいかねないからです。

勝手な思いこみで変にレッテルを貼らず、**そのままの状態を評価する**ようにしていきましょう。

あせり本能を抑え、「事実」をもとに行動する

『**FACTFULLNESS**』
ハンス・ロスリング

塾や学校や高額教材の「数字」ってホント？

勉強に本腰を入れようと、塾に通うとします。すると、スタッフから「大学進学率、驚異の100％！」「難関資格、合格率98％」といった数字を見せられ、「この塾はよさそうだから、すぐにでも契約しなきゃ」と思ってしまう人は多いのではないでしょうか。合格している人や上達している人が多いと聞いて、「自分もその仲間に入らなければ」とあせる気持ちが先走ってしまいますよね。

しかし、**『いまやらなければ取り返しがつかない』というあせりが、思考も行動も停止させてしまう**と警告を発する本があります。それが、100万部を突破したベストセラー『FACTFULLNESS』です。この本では一貫して「データや事実にもとづいて、世界を読み解く習慣をつけよう」と書かれています。

正確なデータを探して自分で分析をしよう

たとえば、「大学進学率、驚異の100％！」といいつつも、「第一志望ではなく、第二志望や第三志望以下の大学にとりあえず合格した人ばかり」ということもありえます。また、「大量の合格者数」を謳っている場合でも、そもそも母数の生徒を「夏期講習を受講した生徒」や「最終模試を受けた生徒」も含めて計算している場合もあるのです。ロスリング氏は、「世界の見方をゆがめてしまう最悪の本能の1つが、あせり本能だ」と指摘します。

あせり本能が顔を出すと的確な分析や正しい判断ができなくなりますから、まずはいったん持ち帰り、深呼吸をして冷静になるべきです。そして、正確なデータを探し、自分で分析をして判断することが必要です。**誰かが盛った数値を思い込みで判断するのではなく、「事実」をもとに行動できるようになりましょう。**

ダイエットやサプリメント、化粧品にも「あと○時間」「あと○名さまのみ購入可能」と「あせり本能」を刺激する広告が少なくありません。事実を見きわめて、慎重に行動しましょう。

不安と悩みが消えなくても、
昨日のことは忘れる

『道は開ける』
デール・カーネギー

POINT

不安によって集中力を失わず、冷静に対処しよう

過去のことも未来のことも、思いわずらってはいけない

　勉強をしていると覚えなければならないことが山のようにありますが、**勉強の足を引っぱる嫌なことや悩みなどは早く忘れるべき**です。1944年に出版された古典的名著『道は開ける』は、アメリカの自己啓発の大家、デール・カーネギーによって書かれました。この本では冒頭に、「昨日のことは忘れよう。明日のことに思い悩むな」という言葉が書かれています。

　実は多くの偉人が同じような主旨の言葉を残しているとカーネギーはいいます。たとえば19世紀イギリスの歴史家、トーマス・カーライルは「遠くのはっきり見えないものを見るな。目の前の明白なことをやれ」といっていますし、13世紀スコットランドの騎士、サー・ウィリアムは「今日だけを見て生きる」をモットーにしており、イエス・キリストも「明日のことを思いわずらうな」と説いていたといいます。

「3ステップ」で道は開けていく

　しかし、もしかすると全力で臨んだ試験で不合格になってしまい、絶望の淵に立たされているような気分を味わうこともあるかもしれません。その際、カーネギーは次の**「3つのステップ」で、悩まずに問題に対処することができる**といいます。

　1つめのステップは、「起こりうる最悪のことを考える」。不合格になっても命をとられることはありません。いちいち過去を後悔せず、まずは最悪の状況について考えてみるのです。

　2つめのステップは、「最悪のことを受け入れる」。試験に落ちたとしても、入試代を損するとか、親が落胆するとか、その程度です。それを想定して心のなかで受け入れれば、気持ちは楽になっていきます。

　3つめのステップは「最悪のことを改善する」。不安でいると集中力が削がれます。そうではなく、問題に集中して「どうすれば回避できるか」「次に同じ失敗をしないためにどうすればよいか」を冷静に考えてみましょう。

　最悪のことを考え、受け入れ、改善方法を考える。このステップを踏んでいけば、合格への道も開けていくのかもしれません。

心を整える

脳が喜ぶ
「1日7品目」の食事をする

『脳が冴える最高の習慣術
3週間で集中力と記憶力を取り戻す』マイク・ダウ

果物や野菜を1日7品食べて脳を活性化しよう

144

「ブレイン・フォグ」は食生活で改善できる

　作家のマイク・ダウ氏は、アメリカで新しい病が流行しているといいます。「やる気が出ない」「活力がなく、落ち込みやすい」「集中力の欠如」がおもな症状で、「ブレイン・フォグ」と呼ばれるもの。その名の通り、脳に霧がかかったようになり、集中力はもとより思考力が働かなくなる状態を表しています。

　多くの人が苦しんでいるこの病気は、食事や生活などの基本的な部分が影響しているとか。

　最低限の運動やしっかりとした睡眠をとることはもちろんですが、ダウ氏が強調するのは「食事」。適切な食べ物を食べて、**脳が必要としている栄養素を供給すれば、脳の健康状態を改善することはむずかしくない**というのです。では、脳が必要としている栄養素とはなんでしょうか?

サプリメントでは完全ではない

　ある調査によれば、**果物や野菜を1日に7品食べる人は、品目が少ない人よりも幸せで、神経質にならず、落ち込むことが少ない**といいます。果物や野菜には強力な「抗炎症作用」や「抗酸化作用」があって、そうした作用が脳のダメージを抑えてくれるのだとか。また、多くの種類のビタミンを含んでいるので、頭の調子や気分の改善にも役立つのです。

「不足分は、サプリメントの錠剤で補おう」と思うかもしれませんが、**体が栄養を最大限に取り込むのに、サプリメントは完全ではありません**。気持ちの落ち込みを和らげる神経伝達物質の「ドーパミン」は、食べ物からでなければ生成されにくいからです。食べ物からしっかりと「脳に栄養」を与えたいですね。

もっと **ランクアップ!**

　朝食に卵料理を食べるなら、ホウレンソウやピーマンなどいろいろな野菜を入れたオムレツにしてみましょう。こういった朝食に変えることで、昼まで最高の勉強をするのに必要な栄養分を脳に与えられます。

145

「創造的思考力」は幼稚園児から学ぶ

『ライフロング・キンダーガーテン』
ミッチェル・レズニック　他

**発想・創作・遊び・共有・振り返り・発想……
というスパイラルを取り入れよう**

もっとも偉大な発明は「幼稚園」である

マサチューセッツ工科大学（MIT）で教壇に立つ著者は、「これまでの1000年間になされた発明のうち、もっとも偉大なものは幼稚園だ」といいます。MITで実際に人々の成長を助けていると、**インスピレーションの多くは、子どもが幼稚園で学ぶ方法から生まれている**と気づいたようなのです。

では、幼稚園での学習方法の何が特別なのかというと、ある1日の光景を見るとわかります。先生がおとぎ話を読み、触発されてブロックで城をつくる子どもたち。積み上げては崩れ……をくり返します。別の子どもは、城を舞台にした物語をつくり、その友だちも、新しいキャラクターを加えて物語をふくらませていきました。

クリエイティブ・ラーニング・スパイラル

幼稚園の子どもたちが、城を建てたり、物語をつくったりするある1日の光景を抜粋しましたが、このなかに創造的なプロセスがぎゅっと凝縮されています。

まずは「発想」。城とそこに住む家族を発想していました。次に「創作」。自分たちのアイデアを行動に変えて、城や塔、そして物語を創作していました。さらに「遊び」。常に塔の形を変えたり、自分の作品を変化させたりしました。続いて「共有」。あるグループは城の建設をし、別のグループは物語の作成で協力し合いました。グループ間でお互いにアイデアを共有することもあるでしょう。

また、場合によっては「振り返り」をすることもあります。塔が倒れたら先生が来て、「なんで倒れたんだろうね」と振り返り、考えてみることをうながします。そして、再び「発想」です。

ここまでのスパイラル（らせん状の学習プロセス）を通して得た経験に基づいて、新しい遊び方のアイデアや方向性を発想することもあるでしょう。**「発想」→「創作」→「遊び」→「共有」→「振り返り」→「発想」と続いていくスパイラルを、「クリエイティブ・ラーニング・スパイラル」と呼びますが、このスパイラルにより子どもたちは創造的思考力をどんどん高めていく**のです。

MITでも賞賛されたこの学習法。ビジネスをする大人にも必要ではないでしょうか。

147

60

問いをぶつけ、原典にあたり、分類をしていく

『ユダヤ式エッセンシャル学習法』
石角完爾

ユダヤ人が徹底している
3つの「学びの原則」を押さえよう

「問いをぶつけていく」ことが学び

Google の創立者ラリー・ペイジ、セルゲイ・ブリンや、Facebook のマーク・ザッカーバーグなど、世界の名だたる大企業の創立者の半分以上を占めるのがユダヤ人です。そんなユダヤ人がどのような学習法を実践しているのか興味深いですよね。彼らには、3つの「学びの原則」があるといいます。

1つめは、「なぜ？」の視点。何事にも疑問を持ち、「それはなぜなのか？」と問いかけていくことです。

実はユダヤ教では、「神を無条件に信じてはいけない」とされています。信じることではなく、正しいかどうかを「問い続ける」ことが求められるのです。これは、学問でも重要な視点かもしれません。

書かれている答えを鵜呑みにして丸暗記するのではなく、「なぜこの答えになるのか？」「ほかの答えは考えられないか？」と問い続けることが、「学び」にとっては重要でしょう。

原典にあたり、分類をする

「それはなぜなのか？」と問いかけて疑問をぶつけたなら、「本当はどうなのか？」を確かめる作業も必要になります。そのための原則が2つめの「原典主義」です。原典主義というのは、「もとの文献や原本にあたる」ということ。**原典にあたることで、本当はどうだったのかを正しく確かめることができます。**

実際、アメリカのエリート校でも、歴史の授業では必ず史料の原典を読ませ、そのうえで生徒1人ひとりの考えを議論していきます。そうすることで、「自分だけの視点」や「自分だけの考え」を養うことができるのですね。

自分だけの考えを養ううえでは、「分類」も重要なカギになります。これが3つめの原則、「分類主義」。「分類」とは、ある基準に従って物事を似たもの同士にまとめることです。**分類を徹底して行ない、細分化することで、どんな物事も体系化されます。**すると、あらゆる思考がまとまってくるので、「想定外」がなくなっていきます。

そうした学習を繰り返すことで、どんな状況にも対応できる、しなやかな思考が身についていくのです。

149

61

「勝つこと」ではなく
「負けないこと」を目指す

『**Think clearly**』
ロルフ・ドベリ

アップサイド
（いい面）

ダウンサイド
（悪い面）

勉強も投資も
重要なのはコッチ!

「よかったこと」
は「悪い面が
なかったこと」
と言い替える
こともできる
わけで…

こっちを
把握して
気をつければ
おのずと
よい結果に
なるよ!

POINT

負けないために「何をすべき」で、
「何をしないべき」かを考える

ダウンサイドを避けるのが何よりも重要

ここでは、試験にも、勉強にも生かせる「投資の手法」を紹介しましょう。

投資家の間では、よく「アップサイド」と「ダウンサイド」という言葉が口にされるそうです。「アップサイド」というのはポジティブな投資結果を指し、逆に「ダウンサイド」は考えられる限りのあらゆるネガティブ要因のこと。つまり、投資先の業績が落ちるとか、会社が倒産するといったことですね。

そして、**投資家が特に気にするのは「ダウンサイド」のほうであり、ダウンサイドのリスクが取り除かれていれば、あとは「アップサイド」が自然に姿を現すと考える**のだそうです。著名な投資家であるウォーレン・バフェット氏やチャーリー・マンガー氏は、口をそろえて「勝つことより負けないこと。ダウンサイドを避けるのが何よりも重要だ」といっています。

試験も勉強も「ネガティブな要因」を避ける

試験でいえば、普段通りに勉強してさえいれば、自然と点数はとれるようになりますし、合格に近づくはずです。ただ、ダウンサイドつまり「ミスすること」には十分気をつけなければなりません。

ミスをしやすい箇所や、**ミスをしやすい問題などは集中して対策をしておきましょう。そうすれば、自然と高得点や合格などのアップサイドに向かうはず**です。そして試験対策でも、ダウンサイドとなる動画やゲーム、頻繁なスマホチェック、体調不良など「勉強の邪魔になること」は避けるようにしなければなりません。

> **もっと** ランクアップ！
>
> 実はこの考え方、中世のギリシア人やローマ人の思想家が「否定神学」と名づけていたとか。ちょっと人生に当てはめて考えてみましょう。ストレスや睡眠不足のもとや、怒りや嫉妬の対象になっている「マイナス要素」を見つけ出し、避けられるようになれば、人生も自然と上向いていくはずです。

マジか！

ヤバイ勉強エピソード

EPISODE

奴隷から財政の神さまに！
折れない総理大臣・高橋是清

　1854年、ちょうど7隻の黒船が江戸に迫っていた年に**高橋是清**は生まれました。ペリーの来航をきっかけに「外国の事情を理解するべきだ」という気運が国内でも高まり始め、是清も11歳のときに横浜で「ヘボン塾」という英語塾に入ります。ここで2年間ほど英語を勉強し、14歳で渡米してサンフランシスコにて住みこみで学校に通うことになりました。しかし、ホームステイ先の老夫婦から料理や掃除も押しつけられる「家政婦状態」で、肝心の学校には通わせてもらえない事態に。

「僕は、召使いになるためにアメリカに来たんじゃない！」と訴えると、裕福な家へと移してくれることになりました。その家ならば自由に勉強できると聞き、是清は喜んでサインして移り住んだのです。サインした書類が実は「身売り契約書」とも知らずに……

　さらに奴隷として働かされる日々が続いてしまうのですが、友人の助けもあってなんとかその境遇から脱することに成功しました。その後、人望も人脈もあったため文部省や農商務省で仕事をし、日銀にも請われて活躍。日銀総裁、大蔵大臣、総理大臣にまでのぼりつめていき、昭和初期の大不況にあえぐ日本経済を見事に立ち直らせ、「財政の神さま」と呼ばれるほどに。

　しかし、国防費を削ろうとしたことから、軍部には目の敵にされてしまい、あの「二・二六」で暗殺されてしまったのです。是清が殺されたとき、部屋からは大量の手帳が出てきたといいます。毎日日記を書き、過去を振り返って反省すると同時に、世に遅れまいとして人一倍勉強していたことが、その手帳には表れていたようです。

教訓

**毎日の勉強と振り返りの習慣があれば、
誰でも成長できる！**

152

アウトプットする

CHAPTER

4

インプットとアウトプットの黄金比「3:7」を意識する

『学びを結果に変える　アウトプット大全』
樺沢紫苑

7:3で「インプット」が多い人ばかり

この章では、効率的な「アウトプット」の方法について紹介していきますが、まずはベストセラーとなった『アウトプット大全』から、アウトプットがいかに重要なことなのかを解説します。

勉強には読んだり聞いたりする「インプット」と、書いたり答えたりする「アウトプット」がありますが、インプットとアウトプットの比率は意識していますか？ 大学生を対象にしたある研究では、教科書を読む時間と問題を解く時間をどのように時間配分しているか調べてみたところ、「7：3」でインプットが多かったといいます。これは学生に限らず、情報があふれ、ネットにふれる時間の多い現在では、誰しもインプットの時間が多い印象があります。

実は、もっとも効率的な「インプットとアウトプットの黄金比」はまったく逆。**「3：7」の割合で、アウトプットを多めにするのがよい**といわれているようです。

アウトプットすることで成長につながる

コロンビア大学の心理学者であるアーサー・ゲイツ博士の実験をご紹介しましょう。中学2年生までの100人以上の子どもに、人名図鑑の人物プロフィールを覚えて暗唱する指示をしました。子どもたちに与えた時間は9分でしたが、覚える時間と暗唱の練習する時間の割合をグループごとに変えてみたそうです。そうしたところ、覚える時間を30％にしたグループがもっとも高得点をとることができたといいます。忙しいなかで時間がなかなかとれない人も多いかもしれませんが、**覚えたことを効率的に定着させたい人ほど、積極的にアウトプットしていきましょう**。

 **ランクアップ！**

「3：7」の比率が覚えづらければ、「インプットをしたら、その2倍はアウトプットをしよう」と考えていくと、ちょうどよいかもしれませんね。

本を読んだら、「レバレッジメモ」にまとめる

『レバレッジ・リーディング』
本田直之

せっかくの先人の
ノウハウなんだから
使わない手は
ないよね!!

うひゃ——!!

先人の知恵

成長

POINT

ただ本を読むだけではなく、
「いかに自分に取りこむか」が大切

結果が出ない人は、「てこの原理」を使えばいい

努力しているのに結果が出ないという人がいる一方で、たいしたことはしていないように見えるのに結果を出している人がいます。この差は「レバレッジ」を意識しているかどうかだと、「レバレッジシリーズ」の著者である本田直之氏はいいます。レバレッジは、「てこの原理」のこと。つまり、少ない労力で大きな結果を出すことを目指しますが、これを読書に応用した場合、本に書かれているノウハウを、自分流に応用して実践で活用するとよいというのです。

本書を含めビジネス書や実用書は、「誰かが何十年という時間をかけて成功させてきたプロセス」が濃縮されて、まとめてあります。**読んで満足するのではなく、「効率的に自分に取り入れて実践すること」ではじめてノウハウが活かされる**わけですね。

「レバレッジメモ」を活用し、自分資産を増やそう

効率的にノウハウを自分に取り入れるためには、何をすればよいのでしょうか？ この本では「レバレッジメモ」をつくることが推奨されています。次に、「レバレッジメモ」のつくり方を紹介しましょう。

まず、本を読んで「大事な部分だ」と感じた要点のところに線を引き、ページの端を折っておきます。そして、週に１度くらいのペースで、その要点をまとめて、箇条書きでワードファイルやメモ帳などパソコンを使って打ちこんでいきます。これをプリントアウトした紙を常に持ち歩き、１日のちょっとしたスキマ時間に目を通していくのです。目を通すのは、「今の自分に合っているところだけ」でもかまいません。

また、メモは自分用なのできれいにまとめる必要もなく、ただ箇条書きでベタに書いていくだけ。**本を読む、レバレッジメモを書く、メモに目を通す……を習慣として続けていくことで、読んだ本の要点が自分のなかになじんでいく**というわけです。

こうした行為の積み重ねを、著者の本田さんは「パーソナルキャピタル（自分資産)」を増やす行為だと表現しています。ぜひ読書にもレバレッジを効かせて、「自分資産」を増やしていきましょう。

157

64

記憶に焼きつけたいときは「ワンビッグメッセージ」に絞る

『20字に削ぎ落とせ　ワンビッグメッセージで相手を動かす』
リップシャッツ信元夏代

POINT

長い文章や語りは記憶に残らないのでシンプルに！

ダラダラと書いても頭には残りにくい

　アウトプットといえば、「説明」も重要です。ここでは、要点を効果的にまとめる手法を紹介します。

　ニューヨーク大学スターン・スクールオブビジネスでMBAを取得し、マッキンゼー・アンド・カンパニーなどを経てコンサルティング会社を立ち上げたリップシャッツ信元夏代氏。コンサルティング活動をするなかで感じたのは「メッセージの削ぎ落としが必要」だということでした。それもそのはず、彼女は国際スピーチコンテストで世界トップ100入りを果たすほどのプレゼン・スピーチのプロなのです。

　伝えるときと同様、何かを覚えるときに、あまりダラダラと文章を書いていては頭に残りにくいもの。**記憶に残る、インパクトのあるアウトプットをするには、できるだけ短くまとめる必要があります。それが「20字でまとめる」メソッド**。リップシャッツ氏は現状を打破できる「ブレイクスルーメソッド」の1つとして紹介していました。

「KISS」の法則でスッキリとまとめて、記憶にも残す

　具体的な方法を説明しましょう。まず大事な要点を1つに絞り、それを「ワンビッグメッセージ」として抽出します。それを「20文字で」表現していきますが、あまり長い表現にしてしまうと解釈の余地が広がるため、この文字数になったとか。**記憶にしっかり焼きつけるためには、違う解釈をしようがないくらいにまで削ぎ落とした、ごく短いフレーズで表現する必要がある**わけです。

　さらに、口頭で伝える技術も紹介しています。スピーチなどのときは、「KISS（Keep It Simple, Specific）の法則」＝「簡単・簡潔・簡明に話せ」に当てはめて、メッセージを構成していくべきだといいます。

　シンプルでありながら具体的に伝える技術は、勉強では「重要な点を要約」するほか、現代文の解答などにも応用できるメソッドでしょう。「ワンビッグメッセージ」や「KISS」のアウトプットを意識していくことで、最重要の点だけが強調され、自らの記憶にも残っていくはずです。

アウトプットする

159

65

クリエイティブな発想をうながすには「締め切り」をつくる

『結果を出せる人になる!「すぐやる脳」のつくり方』
茂木健一郎

POINT

仕事だけじゃない。勉強に対しても、「締め切り」を設定しよう

クリエイティブは「制限」のなかから生まれる

　勉強をするなかでも「発想」は必要になります。発想というと、音楽や絵画などのクリエイティブな仕事を想像する人が多いと思いますが、勉強をするなかでもノートをカラフルにまとめたり、新しいアイデアを出したり、「発想する」シーンはあるはずです。高名な科学者のなかには、クリエイティブな趣味を持つ人も多いとか。発想力が高い人は、何か勉強をするうえでも「新たなことを発見できる」力があり、大きな強みになるでしょう。

　発想をうながすうえで重要なのは「締め切り」と脳科学者の茂木健一郎氏はいいます。**発想というと「突然のひらめき」のようなイメージがありますが、実は自由に発生するものではなく、時間的な制限が必要**だとか。「締め切りをつくることなしにクリエイティブは成立しない」といいきるほどです。

「脳」へのプレッシャーがひらめきを生む

　「締め切り」によって脳にプレッシャーがかかると、神経伝達物質の1つであるβエンドルフィンが分泌され、気分が高まります。これにより新しいひらめきが生まれたり、違った解決策が出てきたりするわけですね。

　本書でも「時間を区切る」「スケジュールを立てる」といった話が出てきますが、**明確に「いつまで」と時間を設定することで発想力が高まり、頭を抱えるような問題に対しても解答が見つかる**のではないでしょうか。ダラダラと勉強せず、「今日はここまでやる」と締め切りを設定して取り組んでいきましょう。

もっと ランクアップ！

　夏目漱石が名作『こころ』を書いたとき、後半を書く予定だった弟子が失踪してしまったため、時間がなくなり追いこまれた漱石自身で必死になって書いたとか。また、名高い音楽家のモーツァルトやバッハも締め切りに追われ続けていたそうです。名作が「締め切り」によって生まれたとは、面白いですね。

アウトプットする

読書をするときは
「メモのメモのメモ」をとる

『東大名物教授がゼミで教えている　人生で大切なこと』
伊藤元重

POINT

自分のメモを読み返して、さらにメモをとってみよう

アウトプットすることを先に決めてしまう

経済学の授業で立ち見が出るほどの人気を博す、東京大学名誉教授の伊藤元重氏は、**「テーマとキーワードを決めて書くことが、最高のインプットにもつながる」**といいます。普段から新聞やウェブの「連載原稿を書く」アウトプットをしているそうですが、この作業をすることで「特定のテーマについて深く考えつつ、締め切りと人の目があることでより集中できる」だけでなく、深いインプットにもつながっているとか。

アウトプットを目的としたインプットにどのような方法があるかというと、やはりオススメは読書。伊藤氏は、MIT（マサチューセッツ工科大学）で教鞭をとり、国際経済学者でもあるキンドルバーガー教授に教わった興味深い読書法を紹介していました。それが**「メモのメモのメモ」をとる**というものです。

本の内容を「自分の言葉で」説明できるように

まず、本を読みながら重要だと思う箇所にアンダーラインを引いていきます。さらに、気づいたことや疑問などを余白部分にメモします。次に、アンダーラインを引いた内容やメモをまとめてワードファイルに入力していきます。ある程度のボリュームになったら、そのメモを読んで、アンダーラインを引き、気づいたことや疑問などを余白部分にメモしていく。最後にその内容やメモをまとめてワードファイルに入力していくと「メモのメモのメモ」ができていくわけですが、これをくり返していくと**「自分の思考が整理され、深まる」**と同時に、**「頭にも記憶が定着しやすく」**なり、**「自分の言葉で他人に伝えることができる」**というのです。いわば、自分の血肉になる読書術。じっくり取り組んでみてはいかがでしょうか。

 ランクアップ！

連載を持たない私たちがマネするなら、「学びを深めたいテーマのブログやnoteを書いて、毎週公開してみる」など工夫し、アウトプットしてみるとよいかもしれませんね。

「知的生産」のための
メモをとる

『メモの魔力』
前田裕二

POINT

どんなことでもメモをとっていくと、人は成長する

必要な情報をスルーしないために、メモを取る

「メモには2種類ある」と、『メモの魔力』の著者である前田裕二氏はいいます。1つは「記録のためのメモ」、そしてもう1つが「知的生産」のためのメモです。記録のためのメモは、たとえば「お買い物メモ」や「TODOリスト」など、覚えておくべきことを書いておく用途です。ただ、社会人が勉強や仕事をする際には、ぜひ記録だけでなく知的生産のためのメモもとっていくべきだといいます。

具体的に、どのようにメモを役立てればよいのでしょうか。その1つが、**「情報獲得の伝導率向上」**です。現代はさまざまな情報が飛び交っています。自分がやっている勉強に関連した情報もたくさんあるはずなのですが、多くの人はあまりの情報量に対応できず、スルーしています。その情報をキャッチするためにも「メモ」を使うべきなのです。**つねにメモをとる姿勢でいると、「自分にとって有用な情報をキャッチするぞ」とアンテナの本数が増えていき、伝導率も上がっていく**……というわけです。

メモで「構造化能力」が向上する

さらに**「構造化能力の向上」**という効用もあります。**特に複雑な問題や長文の問題などは、上手にメモが取れると、とたんに構造が理解しやすくなります**。構造化というのは、文章の内容や事象が「どういった位置関係にあるか」ということなので、これを見失ってしまうと文章が正確に理解できません。

近年、PISA（先進国の学力調査）の調査でも日本人の読解力が年々落ちているそうですが、構造化がうまくできるようになれば、苦手な子どもも多いとされる文章問題も得意になってくるでしょう。

勉強だけでなく、他人との会話でも同じ。構造化ができないとかみ合わなくなってしまうので、構造化能力は非常に重要なものです。意識してメモをとることで情報が整理され、全体像が俯瞰で見られるようになります。これをくり返していくと頭のなかでも構造化ができるようになり、会話はもちろんトラブルなどでも情報の整理をしやすくなれるはずです。記録以外の目的でも、メモの習慣をつけたいものですね。

アウトプットする

165

「3秒」で開ける場所に
ノートを置いておく

『世界のエリートはなぜ、「この基本」を大事にするのか?』
戸塚隆将

できる人は「つねに」メモを取る姿勢を崩さない

慶應義塾大学の経済学部を卒業、外資系証券大手ゴールドマン・サックスで勤務後、ハーバード経営大学院でMBAを取得してマッキンゼー・アンド・カンパニーでも勤務。そんな華々しいキャリアを持つ戸塚隆将氏ですが、彼の著書のなかで気になったのは、ゴールドマン・サックスの先輩から学んだ「ノートのとり方」です。その先輩いわく、「つねにノートを手の届くところに置いておけ」ということでした。「なんだ、そんなことか」と思うかもしれませんが、これはとても重要なことだと思います。

勉強でも仕事でも、できる人はつねにメモをとる姿勢ができています。実際に戸塚氏も、**「3秒で開ける場所に、つねにノートを置いておく」**ことを実践されているとか。では、なぜノートを近くに置いておくことがそこまで重要な行為なのでしょうか。

すばやくメモをとると、相手の意識も変わる

ノートにすばやくメモをとる効用としては大きく3つあり、1つめは「備忘録になる」こと。2つめは「内容が整理できる」こと。そして3つめは、「意識が向上すること」です。

1つめは誰でもやっていると思いますが、2つめの内容の整理については、「なるべくアナログに、紙とペンでやるようにするといい」ということです。実際、トップコンサルタントの人たちは仕事中でもあえてパソコンから離れ、ノートとペンを持って手を使って書きながらインプットしたことを整理するとか。

3つめが特に重要で、**すばやくノートをとることで、「覚えよう」とか「話を書きとめよう」という意識がグッと高まります。それにより集中力も上がって、記憶に定着しやすくなる**のではないでしょうか。

さらに、すばやくメモをとる姿勢を見せることで、相手の意識も好意的なものへ変わっていくといいます。相手というのは、勉強であれば先生でしょうし、仕事であれば社内の人や取引先の人ですね。ノートにすばやくメモをとる姿勢は、「聞きもらさないよう、集中して話を聞いています」という意思表示にもなります。これを見た相手の、あなたへの向き合い方も変わってきますよ。

箇条書きとパワポ化で「書く力」を武器にする

『開成流 ロジカル勉強法』
小林尚

口語	箇条書き	パワポ化
昨日はスーパーへ行って、とり肉と卵とパンを買った。	買い物 ・とり肉 ・卵 ・パン	🔒・とり肉 ・卵 ・パン
途中で友人と偶然会ったので、公園でおしゃべりしてたら1時間も経っていて、勉強する時間が少なくなってしまった…	公園で友人と1時間話す 反省 もっと早めに切り上げる	🗝公園で友人と1時間話す ↓ 次からは早めに切り上げよう!!

あれ…意外とたいしたことないな

改善しようって気になるね!!

POINT

まずは、ロジカルに書く力を身につけよう

名門校で鍛えられる「書き方」のスキル

国内屈指の名門校、開成高校には「ペンは剣よりも強し」という記章があるといいます。これは 19 世紀のイギリスの作家・政治家である E・B・リットンの言葉であるといわれますが、開成高校の象徴であるとされ、校章のデザインにも描かれています。ペンが剣よりも強いというのは、つまり**「書く力を身につけると、武器になる」**ということでしょう。では、具体的にどのような書き方をするかというと**「箇条書き」と「パワポ化」の 2 つでロジカルな書き方が身につく**といいます。

「箇条書き」と「パワポ化」でアウトプットに磨きがかかる

まず「箇条書き」ですが、文章を連ねるのではなく、情報を区切って細かく区分けして書いていく手法。授業や講義などのメモをとる際にも、いっていることをただ書くのは大変なうえに、読み返すと見づらいものになります。箇条書きのコツとしては、「同じ要素を見つけて、くくり出す」ということを意識しましょう。簡単な例として、「昨日は学校へ行った」「昨日は塾へ行った」「昨日は友だちの家に行った」という話があったとき、手元にメモをする際にすべてを書いてはいけません。箇条書きのメモとして「昨日行った場所：学校・塾・友だちの家」と書けば、情報としては十分ですよね。このように、**長い話を聞いたときに、それを箇条書きで、簡潔にまとめる力をつけると強い武器になる**わけです。

もう 1 つの書き方である「パワポ化」は、実際にパワーポイントで資料をつくるわけではなく、「図を使って構造化していく」ということです。箇条書きと同様ですが、誰かの説明をただ書いていくのは大変ですよね。そこでパワーポイントの資料のように、四角や矢印を使って、可能な限り図解化していきましょう。図解化する際のルールは特になく、自分で図形の意味を決めておけばそれでよいでしょう。

図解化する際は、多くの話を 1 つの図にしようとするのではなく、「1 つの図は 1 つのテーマ」としてシンプルにまとめると、うまくいくようです。

ロジカルな書き方が身につくことで、ノートのつけ方もワンランクアップして、話も頭に残りやすくなるはず。ぜひ習慣にしてみましょう。

アウトプットする

169

「問題文」の形で
ノートをとる

『ULTRA LEARNING 超・自習法
どんなスキルでも最速で習得できる9つのメソッド』
スコット・H・ヤング

「未来の自分」に向けて、問題や課題を出してみよう

ノートをとるとき、「問題集」にしてしまう

全米屈指のブロガー、スコット・H・ヤング氏のはじめての著作は、アメリカでベストセラーになりました。MIT（マサチューセッツ工科大学）の4年分のカリキュラムを1年で習得したことでも話題となった勉強法が掲載されているのですが、そのなかから1つ「ノートをとる方法」について抜粋しましょう。

授業や自習中にノートをとる際、普通であればポイントを書き記したり、コピーしたものを貼ったりするのが一般的です。しかし、著者がオススメしているのは**内容を質問形式で記して、あとで回答できるようにする**というもの。簡単なたとえとして「大政奉還は1867年に行なわれた」と書くのではなく、「大政奉還が行なわれたのは何年か？」と書いて、**あとで読む自分に対する問題集にしてしまう**のです。

「未来の自分」に向けて課題を作成する

つくり方のポイントとしてはなんとなくランダムにつくってはダメ。**「どこが要点なのかをしっかりと考えてつくる」べき**だといいます。過去問題なども参考にしながら、**「自分が試験問題を出す側の立場に立ったら、どんな問題を出すかな？」と考えながらつくる**のです。そうすることで、より記憶に定着しやすくなるとか。また、はじめのうちは正解が書かれている場所をメモしておいて、答えられなかったらそこを参照するようにさせてもよいでしょう。

もっと ランクアップ！

ただ答えを書かせるだけでなく、「課題を作成させる」方法もあります。かけ算を習った小学生なら「かけたら72になる式は？」と式を答えさせる問題をつくってみてもいいでしょうし、中学生であれば、適当な図形と角度を書いてみて「ここの角度を求めよ」といった問題をつくらせてみてもいいかもしれません。ほかの科目にも応用して、「未来の自分に対して、答えから課題を考えさせる」のも面白い勉強法かもしれませんね。

アウトプットする

171

脳を刺激するために
ノートは「余白」を残して書く

『マッキンゼーのエリートはノートに何を書いているのか』
大嶋祥誉

ノートは用途で分けて、「余白」をつくっておこう

「用途別」にある3種類のノート

みなさんは勉強や仕事をするときに、何種類のノートを使っているでしょうか。勉強であれば「教科ごとに1冊ずつ」とか、仕事であれば「メモ用に1冊だけ」とか「スケジュール帳に一元化して、すべて書き込んでいる」という人が多いのかもしれません。米国デューク大学でMBAを取得し、マッキンゼー・アンド・カンパニーでプロジェクトに従事した大嶋祥誉氏は、**用途別に3つのノートを使い分ける**といいます。

1つめは、キョクトウという会社の「ロイヤルカレッジノート」シリーズの1つ「ケンブリッジ」。A4変型サイズでリングとじになっているこのノートを使って、**「インプットした情報をとにかく書きなぐっていくためのノート」**です。顧客からインタビューした内容や気づいたことなどを、とにかく聞いたまま書いていくのだそうで、リングとじノートを使っているのは持ち運びに便利だったり、気づいたときにすぐに書きこめたりするからなのでしょう。

脳が刺激を受ける「余白」をあえてつくる

2つめは「方眼ノート」で、**「思考の整理や構造化、情報の関連づけなどをするために使うノート」**だそうです。「方眼ノート」を選んでいるのはフリーハンドで書きやすいからなのだとか。

そして3つめは**マッキンゼー独自に開発された「マッキンノート」と呼ばれるもので、おもに「図解チャートをつくるため」に使われる**のだとか。特徴としては、ノートのいちばん上にタイトルやイシュー（課題）を記入する欄があり、中央には図解チャートを書くスペースがあり、いちばん下には出典を書き入れる欄があるのだそうです。

また、それぞれのノートの使い方としては、「必ず余白を残して書く」のがルールなのだといいます。これは、**あえて余白を設けることによって、さらに探求を深められるように脳が刺激を受けて、より質の高いアウトプットにつながるため**なのだとか。ノートはギチギチに書き込むのではなく、意識して余白をつくっておくことで、さらに思考が深まるのかもしれません。

「2種類のアウトプット」を
くり返す

『夢を叶えるための勉強法』
鈴木光

POINT

問題を解く「種類」も「順番」も戦略的にすべし

まずは短期間に大量のアウトプット

インプットして覚えた知識は、実際に問題を解いて書き出す（アウトプットする）ことができなければ意味がありません。そのためにも、どんどん問題を解いていく必要がありますね。では、どんな問題をどんな順番で進めていけばよいのでしょうか。TV「東大王」にも出演し、東京大学法学部に在学中に司法試験の予備試験にも受かった鈴木光さんがオススメする、「2種類のアウトプット」をご紹介していきましょう。

まず1つめは**「同じパターンの問題を短期間にたくさん解く」**というもの。覚えたての早い段階では、同じパターンの問題を10題、20題と効率のよい解き方でまずは解いていきます。そうすることで変なクセがつきにくく、ムダなく勉強を進められるというわけです。また、**インプットをしてすぐにアウトプットすることになるため、知識の定着を深めることもできる**といいます。

時間を空けたうえでパターンを変える

2つめのアウトプットは、**「時間を空けてから違ったパターンの問題をまとめて解く」**というもの。今度は少し時間を空けることにより、**インプットしたことを長期的に「覚えている」という状態にしやすくなる**わけです。また、違ったパターンの問題も含めてまとめて解くことで、問題のパターンを判別する練習にもなります。同じ問題をまとめて解く1つめだけだと、別のパターンが出てきたときに対応できなくなるため、そこを強化する意味にもなります。

このように、2種類を組み合わせて実践することで、効率よく知識を定着していきましょう。

 ランクアップ！

ちなみに、この2種類は「1つめをやってから2つめをやる」という順番で実践すべきだとか。「まずは同じパターンの問題を短期間にたくさん解いて、土台を固めていく」わけですね。

アウトプットする

情報カードを書いて
記憶を「可視化」する

『大逆転合格する人だけが知っている秘密の習慣』
柏村真至／村田明彦／与那嶺隆之

POINT

「何がわからないのか」を可視化すると、
効率が上がる

覚えていないことを「情報カード」にまとめよう

暗記方法は多数ありますが、ここでは「覚えている度合」にフォーカスした効率のいいメソッドを紹介します。本書では、必要な知識を効率よく暗記するコツは、**「覚えたこと」と「覚えられていないこと」をしっかりと整理することです**。

しっかりと整理するためのツールとして推奨しているのが、「情報カード」。これは、ハガキくらいのA6サイズもしくは単行本くらいのB6サイズの無地のカードを用意して、そこに暗記したい情報を書き込んでいくというものです。英単語用のリングつきカードに比べて少し大きいため、情報量を多くでき、あとからも書き足せて、単語以外の暗記にも応用することができます。

問題集などを解いて、間違ってしまった問題やなかなか覚えられない公式などを、このカードにまとめて書きこんでいきます。基本は、「1枚に1項目」。表に「問題」を書いて、裏に「答えと解くためのポイント」などを書いていきましょう。カードの表にはタイトルとして、「参考書名・ページ数・問題番号」といった出典を書いておくとわかりやすくなります。

カードの「分類」や「作成」で、さらに効率アップ

カードを書いたらつねに持ち歩き、スキマ時間に目を通していきます。可能であれば、眺めるだけでなく、声に出したり気づいたことを書き加えたりしてもよいでしょう。カードは収納場所を分けていくと、さらに効果的になります。「覚えた」「まだ少し曖昧」「覚えていない」といった分類にして、「覚えた」に分類したカード以外のものを持ち歩き、なるべく早く「覚えた」に分類できるようにしていきましょう。**こうすることで「記憶が可視化」されていき、自信にもつながっていく**というわけです。

問題集を解きながら、並行してカードの作成もしていくことになるので少し手間に感じるかもしれません。ただ、問題の要点を押さえつつ1枚の紙にまとめていき、復習用に使うことになるので、勉強効率は非常に高まっていくはずです。

完全オリジナルの
「私が間違いやすい問題ノート」
をつくる

『塾へ行かなくても成績が超アップ！　自宅学習の強化書』
葉一

POINT

ノートに書き出すことでの「達成感」が超重要

自分だけの「問題集」で弱点をカバー

前項の話と近いですが、「自分が間違えた問題」をスクラップしてまとめた「間違った問題ノート」をつくろう、と語るのは教育系 YouTuber の葉一さん。書き写さなくても、「問題を解いて、間違った個所」をコピーするか、スマホで写真を撮ったものをノートに貼りつけてもいいといいます。答えだけ別のページに貼れば、「自分が間違いやすい箇所の問題集」になりますね。

これを持ち歩いてスキマ時間に復習をし、「もう間違わずに解ける」という状態になったら「OK！」などの「完了マーク」をつけます。そうして「このページはクリア」という状態にしてしまえば、クリアのページが増えるごとに達成感が得られます。**参考書やテキストで問題を間違えてしまっても「これは間違った問題ノート行き！」と前に進めるので、落ち込むヒマもなくなる**とか。

「達成感」と「自信」が身につく自習ノート

「間違った問題ノート」とは別に、余裕があったらオススメしたいのが**「自習ノート」**です。自宅学習での自習の際にノートに要点をまとめていくもので、教科ごとに分けないのがポイントです。まるで日記のように日にちだけ書いて、その日に自宅で学んだことの要点を書いていけば OK。そうすることで、時系列で自分が学んだことを知ることができますし、復習もしやすいというメリットがあります。また、**自分の勉強量を実感することができますので、ノートがどんどん増えることで「達成感」と「自信」につながっていきます。**
「ノートをとらなきゃ！」と肩に力を入れず、メモ書き程度のノリで埋めていけば大丈夫。ただテキストを眺めるだけよりも、「自分がやってきたこと」をアウトプットとしてノートにどんどん書いていくことにも意味があるのです。

 ランクアップ！

ページ数の少ないノートを買えば、早々に1冊のノートを使い終えることができるため、多くの達成感を得られます。積みあがったノートを眺めたら、自己肯定感が上がること間違いなし！

75

不安を書き出して
脳の記憶領域を広げる

『夢をかなえる勉強法』
伊藤真

不安の原因、実はたいしたことがない？

　勉強を効率的に進めたいとき、アウトプットすべきなのは、何も記憶したことだけではありません。「不安書き出し法」を唱えるのは、2006年のベストセラー『夢をかなえる勉強法』の著者である伊藤真氏です。大きな試験前になれば、誰しも不安になります。しかし、その不安をただ抱えこむのではなく、紙に書き出してみるといいというのです。

　それも、単に「試験に落ちたら嫌だ」だけではなく、「なぜ嫌なのか？」を考えていきます。そこで「親に申し訳ない」という答えが出たら、さらに「なぜ親に申し訳ないのか？」と質問を書き、その答えを書いていきます。そうすると、「親が親戚から馬鹿にされて、恥ずかしい思いをするから」など、**実はそこまでたいした問題ではなかったり、そもそも試験以外にも解決方法があることに気がついたりする**のです。

不安を追い出せば、使える脳の領域は広がる

　記憶というのは脳内の領域を占有するものですが、**試験前に不安を書き出すことで、「問題を解くために使える脳内領域が増える」**ことにもなるそうです。シカゴ大学の心理学者シアン・バイロック教授の有名な研究で、「試験に関する不安を書き出した生徒のグループ」と「何もせずに静かに座っている生徒のグループ」という2つのグループに対して同じレベルの問題をやらせたそうです。そうしたところ、「試験に関する不安を書き出した生徒のグループ」のほうが15％以上高い正答率だったといいます。この実験結果から、「不安を紙に書き出したことで脳内のメモリー領域がリセットされて集中力を高めることができたのではないか」と結論づけています。

もっと ランクアップ！

　不安を紙に書き出すだけではなく、自分のなかで「やればできる！」といい続けていると効果が高まるとか。吐いた不安の量だけ自信を植えつけて、テストに立ち向かっていきましょう。

181

76

「エピソード記憶」と
「レミニセンス現象」を
身につける

『記憶力を強くする　最新脳科学が語る
記憶のしくみと鍛え方』池谷裕二

**年齢に見合った記憶の仕方を身につければ、
記憶力は強くなる**

「エピソード記憶」で記憶力を強化しよう

　記憶をする際には、その年齢に見合った記憶の仕方があり、中学生のころまでは、丸暗記してテストに臨むという作戦でも対応できますが、大人になると変化します。脳科学者の池谷裕二氏によれば、丸暗記よりもむしろ、「論理だった記憶能力」が発達してくるというのです。

　「論理的な記憶力」を鍛える方法の１つは、「関連づけること」。物事を単体で覚えようとするのではなく、複数のものを関連づければ覚えやすくなるわけです。物事を関連づけるということは、その物事を理解していないといけません。物事を理解したときに、脳はしっかりと記憶できるようになるのです。

　そして、さらに重要なキーワードは<u>**「エピソード記憶」**</u>です。つまり、自分の経験に結びつけて記憶したほうがよいということ。自分の体験が関連してくれば、その記憶はエピソード記憶となり、いつでも思い出せるようになるとか。また、エピソード記憶を簡単につくりたければ、覚えた知識を人に説明するとよいでしょう。**自分のエピソードと結びつけ、人に説明することで、記憶力は強化されるのです。**たとえば、新しく学んだ漢字なら、その成り立ちまで覚えて友だちに雑学の１つとして話すことで、より覚えやすくなるでしょう。

「睡眠」をはさむと、記憶が強化される

　現在の脳科学の見解によれば、夢を見ることは脳の情報を整え、記憶を強化するために必須の過程であるとされているようです。つまり、**物事をしっかりと記憶するためには、「睡眠」が非常に重要。**

　実際、学習したものが少し時間をおくと強化されるという不思議な経験をすることがあります。たとえば、最初に勉強してもさっぱりわからなかったことが、ある日フッと突然理解できた、などという現象です。こうした現象は**「レミニセンス（追憶）現象」**と呼ばれるもので、**寝ている間に記憶が整理されて、その後の学習を助けた**結果だと考えられています。

　つまり、１日に６時間まとめて勉強するよりも、２時間ずつ３日に分けて勉強したほうが、途中に睡眠が入るため能率的に習得できるというわけです。

「1分間ライティング」で記憶を強化する

『世界記憶力グランドマスターが教える 脳にまかせる勉強法』
池田義博

反射的に思い出すトレーニングをしよう

「1分」の制限時間でアウトプットを試す

何かについて問われたときに、「えーっと……えーっと……」と時間をかけてやっと思い出せることってありますよね。でも、記憶力の強い人は、反射的に答えることができます。記憶力を鍛えるためのトレーニングの1つが**「1分間ライティング」**です。具体的には、前日に覚えたことをしっかりとアウトプットできるかを試すときに、「1分の制限時間」でとにかく紙に思いつくことを書き出していく……というもの。

アウトプットを試すときには、たとえば日本史なら「天平文化の特色は何か？」といった問題でよいでしょう。**問題を出してから1分間で頭に浮かんだものを、どんどん文字として書き出していく**のです。

とにかく手を止めない、書き続ける

制限時間があるとはいえ、力まずリラックスして、「頭に浮かんだこと」や「連想したもの」をとにかく文章にしていきます。テストと違って正しい文章を書く必要がないので、自分の頭のなかを「見える化」していくような形です。文章にならない場合にはキーワードだけでもいいし、何も浮かばなければ「何も浮かばない」と書いてもいい。とにかく**「手を止めず、なんでもいいから書き続けることがポイント」**なのだとか。そうすることで脳と手がつながるトレーニングになり、反射的に答えが出やすくなるというのです。

1分経ったら終了で加筆も禁止です。そして、1分間ライティングの評価基準は**「1分間手を止めずに書き続けて、制限時間が終了してもなお書き続ける内容が残っている」という状態になれば、合格レベル**だそうです。

もっと ランクアップ！

制限時間が終了して、書くことがない場合はインプットが足りていない可能性大。さらに、書く手が止まってしまったり、間違ってしまったりした点についても、しっかり振り返ってインプットをし直しましょう。

メモなしでも大量の情報を
アウトプットできる

『LIMITLESS 超加速学習　人生を変える「学び方」の授業』
ジム・クウィック

あれと
これと
それと…

ぐるっと
まわって…

「覚えたいこと」と特定の地点や場所を紐づけよう

紀元前からの由緒正しい記憶法

　試験ともなると大量の情報を覚えておき、解答用紙に一気に書き出していくわけですから、いかに記憶するかは重要です。スピーチなどであらかじめ用意した話をするときには手元にメモを持っておくこともできますが、試験では手元にメモを用意するわけにもいきません。記憶力の改善における世界的権威、ジム・クウィック氏は記憶術の1つとして「座の方法」を推奨しています。「座の方法」は今から 2500 年前、古代ギリシアの詩人であるシモニデスが編み出したともいわれているメソッド。「座」というのは、「特定の地点や場所」を意味します。つまり、「座の方法」とは、**「自分がよく知る特定の地点や場所に結びつけて覚えていく記憶術」**を指すのです。

場所に紐づけて覚える練習をしよう

「座の方法」の覚え方ですが、まず覚えたいキーワードやフレーズを 10 個ピックアップします。覚える内容は、長いものだとむずかしいので、なるべく短いものがよいでしょう。次に、よく知っている場所を思い浮かべます。自宅の部屋でも、近所の公園でもかまいません。なじみがあって鮮明に思い出せる場所がオススメ。次に、その場所をぐるっと一周する道を思い浮かべます。そしてその途中で、すぐにイメージできる場所を 10 か所見つけます。部屋なら机やベッド、公園なら電灯やベンチなどでしょうか。そうして、その 10 か所の1つひとつに先ほどのキーワードを配置していきます。**キーワードと場所を紐づけて覚えていき、10 個紐づけたら、ぐるっと一周しながら思い出していくと、記憶が頭に染みこんでいくのです。**

ランクアップ！

　長年の歴史がある「座の方法」。自分なりにアレンジをすることで、試験対策だけでなくスピーチやプレゼン、日常のメモ代わりにも使える方法なので、ぜひ応用してみてくださいね。

アウトプットする

187

急いで覚えたいなら「暗記ドア」を試してみる

『現役東大生がこっそりやっている、頭がよくなる勉強法』
清水章弘

日常生活を「記憶ゲーム」に変えることができる

問題に正解しないと開けられないドア

テスト前に急いで覚えたいことがある場合には、プレッシャーを与えるのが効果的です。ただ、他人からプレッシャーをかけられる場合は注意が必要です。問題の内容やレベルが自分に合っていないと、ストレス要因になりかねません。自分自身にちょうどよいレベルのプレッシャーをかけられる面白い方法があったので、ご紹介しましょう。

それは**「暗記ドア」**です。**覚えたいことをクイズにして紙に書き、それをよく出入りするドアに貼り、正解しないとそのドアを開けることができる……というルールにする**わけです。こうすると、普段の生活が「ゲーム」になります。自分の部屋に入りたくても、クイズに正解しないと入れない。なかなか覚えられないものほど、よく開けるドアに貼るとよいかもしれません。

受験勉強だけでなく、仕事にも応用可能

クイズの出し方を工夫すると、難易度を変化させることができます。たとえば「世界三大河川はアマゾン川とナイル川と何?」という出し方もできれば、「世界三大河川をすべて答えよ」という出し方もできます。自分が記憶したレベルによって問題を変えていくとよいかもしれません。また、**「暗記ドア」で特に効果が高い場所が「トイレ」**です。クイズに答えないとトイレに入れませんので、危機感とともにより必死で覚えるようになるはずです。急いで覚えようとするならドアの内側にも貼っておいて、問題に答えられないとトイレから出られない……というのも面白いかもしれませんね。問題を解くドキドキ感を楽しみながら、しっかりと覚えていきましょう。

もっと ランクアップ!

社会人の場合には、仕事に関する「来期の新規事業アイデアを1つ考える」といったクイズをトイレのなかに貼っておけば、ただのトイレタイムが「新規事業についてじっくり考える時間」になるわけですね。

「ホールド法」か「ステップ法」で記憶を定着させる

『学年ビリのギャルが1年で偏差値を40上げて慶應大学に現役合格した話』　坪田信貴

集中とボーッとしてるときの差がすごすぎる!!

15〜30秒ボーッとする

が…がんば！

「ホールド法」実践中

集中〜

記憶に定着しやすい方法で書き出そう

同じことをくり返し書いても、記憶効率が悪い

暗記をするときに、「ひたすら何度も書く」方法で覚えていませんか？　これ、実はあまり効果的とはいえません。小学生の漢字の宿題でも「同じ漢字をとにかくたくさん書かせる」といった方法が見られますが、暗記効果は高くないのです。なぜかというと、**何度も何度も同じことを書かせることで、脳が「1回1回の記述はたいして重要ではない」と認識してしまう**そうです。

また、同じ動きを繰り返すことで脳が飽きてしまい、集中力が下がってしまうことにもなるとか。

そこでオススメしたいのが、あの「ビリギャル」を育てた坪田氏による「ホールド法」と「ステップ法」です。何かを記憶する際にはどちらかを試してみて、自分に合うほうを選んでみてください。

「はじめから最後」までいうことを繰り返す

まず「ホールド法」は、**覚えようと集中したあと、「あえてボーッと」します。そして15秒から30秒ほどボーッとしたあとで、思い出そうとしてみてください**。脳の記憶には短期記憶と長期記憶の大きく2つがあります。短期記憶はたとえば手帳に書いてある電話番号を読みとって、それをスマホに打ちこむときに使うもので、15秒から30秒ほどしか機能しないといわれています。それを逆手にとって、**長期記憶として刷りこみなおすのがこの「ホールド法」**です。

そして**「ステップ法」は、複数のことを覚えたいときに効果的**です。まず1つめを集中して覚えたら、次に2つめを覚えます。次に、目をつぶって1つめと2つめの内容を声に出します。問題なくいえたら、次に3つめを覚えます。そうしたら、目をつぶって1つめ、2つめ、3つめと内容を声に出します。次は4つめ……という形で続けていきます。

覚えたいことが最後までいったら、最後にすべてを声に出しながら紙に書き出していき、合っているかどうか答え合わせをします。**これらをスラスラできるようになるまで繰り返すと、普通にノートに書き出すよりも記憶に定着する**といいますから、ぜひ試してみるとよいでしょう。

81

「エアー授業」で
成績を伸ばす

『京大芸人式　身の丈にあった勉強法』
菅 広文

POINT

誰かに説明することで、
自分の頭のなかが整理される

「エアー授業」をやってみよう

　次に、暗記方法を教えてくれているのが、京大卒の芸人「ロザン」の菅広文氏です。簡単で効率的な暗記方法として、「エアー授業」をオススメしています。これは、「自分の部屋で自分が先生になったつもりで、生徒がいるかのように1人で授業をする」というもの。もちろん先生のようにうまくはいかないでしょうが、誰かに見られているわけではないので気にする必要はありません。

　途中で詰まってしまったり、説明することができなくなったりする部分もあるでしょう。ただ、そういう部分は自分が暗記できていない証拠でもあるわけです。**詰まった部分を改めて見返しながら「エアー授業」を繰り返していくうちに、だんだん記憶も定着していく**といいます。ただし、誰かに見られるとかなり恥ずかしいので注意しましょうね。

教えるほうが成績は伸びる

　エアー授業もよいですが、**友だちに教える機会がある人は、積極的に教えてあげると感謝され、成績も上がりって一石二鳥**だといいます。人に教えるとなるとエアー授業よりもむずかしくなりますが、頭のなかでしっかりと整理されていないと教えるのはむずかしいため、「教えるレベル」まで到達できれば、記憶はしっかりと定着しているといえます。

　実際、芸人さんの世界でも後輩を連れて飲みに行くことが多いそうですが、そこで先輩が後輩の悩みを聞きながら、自分の仕事へのこだわりや成長するためにやってきたことをまとめて話すことが多いそうです。後輩からすると「おごってもらえるし、仕事についての役に立つ話が聞けてラッキー！」と思うそうですが、実は逆。教える機会の多い先輩のほうが、どんどん伸びていくことになるのだそうです。

　これも原理は同じで、**自分の仕事の話をすることにより、頭のなかで現状が整理され、次の戦略などが浮かびやすくなる**のでしょうね。仕事でも勉強でも、積極的に人に教えていく姿勢を身につけましょう。

82

「ほしいもの」についての
理由をレポートでまとめる

『「公文式・読み聞かせ・バイオリン」で子どもは天才に育つ!』
田中勝博

POINT

子どもに効く教育方法は、大人にも役に立つ

「読み聞かせ」は創造力を育む

「勉強しろ」と一度もいわず、ゲームも漫画もOKで、子どもを区立小学校からイギリスの名門オックスフォード大学に合格させたと聞くと、「いったい、どんな教育をしたの？」と気になりますよね。特に教育のプロというわけでもない著者の田中勝博氏が、自らの子育てを振り返った本書から、大人でも役に立ちそうな勉強法を含め、いくつか抜粋してご紹介しましょう。

1つめは、読解力が身につく「読み聞かせ」です。読み聞かせというと幼児に対して行なう印象ですが、田中氏は10歳まで行なっていたとか。**物語を耳から聞き、頭のなかで映像化する作業が発生する「読み聞かせ」を続けることで、文字や言葉の理解力に加え感情の読解力や創造力も身につく**といいます。

親は「のび太」になろう

「創造力を鍛えるには、親はのび太を演じなさい」というアドバイスもありました。これは、「ドラえも～ん、なんとかしてよ～！」とドラえもんを頼るのび太のように、親が子どもに対して頻繁に頼ることを勧めています。**親から頼られることで、何事に対しても「もっとうまくやる方法はないかな？」と考えるクセがつき、創造力が鍛えられる**というわけです。

また、田中氏は公文式を推奨していますが、「反復学習が徹底されている」「プリントをどんどん解いていくので、達成感を得やすい」「家の近所にあるので時間を有効に使える」といったメリットがあるそうです。これに当てはまる勉強法であれば、別のものでも代替ができるかもしれませんね。

もっと ランクアップ！

子どもにほしいものがあったときに、「なぜそれがほしいのか」という理由を10個書かせると、欲望をベースにして自分の考えを積極的にまとめることができ、プレゼンテーション能力も身につくといいます。大人も試してみるとよいでしょう。

83

記憶を「オートマティックレベル」 まで持っていく

『出口汪の「最強!」の記憶術』
出口汪

POINT

勉強は、試験だけがゴールでは決してない

勉強も「無意識に」できるようになる

自転車に乗れる人は、無意識にペダルをこいで前に進んでいます。同じように箸の持ち方や、トイレで用を足す方法、歯磨きのやり方など、最初は練習が必要だったものでも、やがて「当たり前に」できるようになっているはずです。

長年予備校の講師を務めてきた出口汪氏は、これを「オートマティック」「習熟」「身体化」などと呼んでいて、**勉強をするうえでは可能な限り「オートマティックレベルに持っていくべき」**と話しています。

目指すべきは「オートマティックレベル」

たとえば野球のピッチャーの場合、さまざまな球種があります。最初、投げ方を覚えて何度も練習することで、試合のなかで投げ分けることができるようになります。サッカーであれば蹴り方も同様です。

これを勉強に当てはめると、たとえば英語では朝起きて「今、何時だろう」と考えるときに、自然と英語が出てくるようなことですね。**最初のうちは、「今8時か、これを英語でいうと……」と考えてしまうと思いますが、「オートマティックレベル」になれば無意識に英語が口から出てくる**ようになるはずです。英語を無意識レベルまで持っていきたいなら、絶えず英語の音にふれる環境を自分でつくり出してみましょう。

同じように数学の公式や物理の解法などでも、単なる知識として覚えておくだけでなく、使うべきときに自然にスッと出てくるくらいまで習得しなければなりません。

もっと ランクアップ！

「論理力」にいたっては、オートマティックレベルまで持っていけたら、社会人以降も、一生使える強力な武器になるはずです。ぜひ意識して、オートマティックレベルまで到達できるように取り組んでみましょう。

84

「インプット」の集大成を披露する大舞台に立つ

『ユダヤの訓え　「大物」になる勉強法』
加瀬英明

自分の頭で考えたことを、人前で発信していこう

学ぶ姿勢を身につけるユダヤ教

ユダヤ人は全世界に1300万人いるとされており、その割合は世界人口の0.2%にすぎません。しかし、彼らは数多くの創造的な人材を生み出し、世界の歴史を動かしてきました。たとえばノーベル賞を見ても、1901年から2006年の受賞者の23%がユダヤ人。また、米国のユダヤ人は人口の2%にすぎないのに、富豪の上位400家族のうちの23%を占めているというから驚きです。

これほど多くの成功者や天才を輩出できた秘密は、「ユダヤの教育」です。

彼らは幼いころから徹底して、ユダヤ教の教義を学ばされます。そしてユダヤ教は、キリスト教のように「祈る」宗教ではなく、「1人ひとりが学ぶ」宗教だといわれているのです。**聖典に書かれた考えを自分なりに消化し、発展させていく**。まさに、徹底した反復と復唱が特徴の教育が行なわれているのです。

インプットした成果を大勢の前で披露する

さらに、子どものころから『タルムード』などの教典を何度もくり返し読み、また聞かされます。**学習においてもっとも基本となる「暗記」を、子どものうちからしっかりと身につけ、さらに「自分なりに解釈すること」も求められます。つまり、小さいころから「思考力」が養われるのです。**

そして男の子は13歳になると、「バール・ミツヴァ」という儀式が行なわれます。これは成人式に当たるもので、少年は13歳を迎えると、1人の人間としての責任を自覚することが求められるのです。そして少年はこの日、大勢の人の前に立って、ユダヤ教の戒律が記された『トラ』の一節を朗読し、その教えについて自分なりの解説を加えなければなりません。少年のうちにアウトプットの大舞台を経験するわけです。

自分なりの解釈を行なうためには、かなりの学習が必要になります。**日ごろからインプットをし、自分の頭でよく考え、それを人前で披露する**。そうすることで、1人前の大人だと認められるわけです。

私たちも、プレゼンのイベントやスピーチの大会など、自分で考えたことを積極的に人前で発表する機会を持っていきたいですね。

199

ヤバイ勉強エピソード

EPISODE

そして伝説へ…
落ちこぼれ小学生から
偉人になったツワモノたち

「発明王」の異名を持つアメリカの発明家、**エジソン**。彼は、蓄音機や白熱電球、映写機や電話機、トースターなど多くの発明をし、生涯で1000個以上の特許をとったほど。しかし、小学生時代のエジソンはいつもボーッとしており、先生の言葉がまったく頭に入らない子だったそうです。普通の子どもが興味を持つことにも興味を持たず小学校を中退してしまったのは有名な逸話ですが、学校に行かず自宅で母親からの教育を受けるなかでエジソンは科学全般への興味を強めていきました。さすがに化学や物理学については母親も教えることができませんでしたが、図書館に通って専門書を読みあさって身につけていったといいます。エジソンには学歴も協調性もありませんでしたが、貪欲な好奇心と並外れた執着心を持っており、それがエジソンを天才に育てあげていったのです。

●

また、20世紀最大の天才といえば、**アインシュタイン**を挙げる人も少なくないでしょう。ニュートン以来、不変とされていた時間や空間が絶対ではないことを「特殊相対性理論」で示し、物理学を根底から書き換えてしまった偉人です。しかし、小学生時代には無口で喋るのも遅いし暗記も苦手、数学とラテン語以外の成績は全然ダメな「落ちこぼれ」だったとか。おまけにかんしゃく持ちで、中学生時代には問題を起こして16歳で中退してしまいます。学校に行かず科学入門書を読みふけっていたところ、電気技師のヤコブおじさんが理工学的なセンスを見抜いて勉強を教えたり電機工場を見せたりと経験をさせていき才能が芽生えたのだといいます。

教訓

子どものころの成績が悪くても、
好奇心があれば偉人になれる！

しくみを
つくる

systemize

CHAPTER

5

85

集中するには「時間」と「健康」2つの土台を整える

『ハーバードの人生を変える授業』
タル・ベン・シャハー

過去1週間の行動を書き出してみた

POINT

ムダな時間を省いて運動をすることが、勉強を続けるコツ

生活を簡素化していく

　世界の大学ランキングで常に最上位に位置する名門校のハーバード大学。

　そのハーバード大学で授業を受け持ち、1学期あたり全学生の約2割に相当する約1400名の学生が殺到したといわれる授業で教えていたのは「幸せな人生を送るための考え方」でした。

　そのなかでも特に勉強に関する部分を2つをピックアップしましょう。

　1つは**「生活を簡素化する」**ということ。現代は誰もが時間に追われ、多くの活動を日々の生活に押しこんでおり、とても忙しくなってしまっています。その結果、勉強の時間もろくにとれないし、自分のまわりにある幸せに気づくことなく過ごしてしまっているのが問題だというのです。ですから、過去1～2週間の行動を書き出してみて、そのリストを見ながら「どの部分を簡素化できるか」「何をやめられるか」「インターネットやテレビを見ている時間が多すぎないか」などを考えて、**余計な時間を省いていくべき**です。

生活の一部に運動を取り入れる

　もう1つ、勉強の集中には、心の健康状態も関係します。**心の健康を保つには、やはり「運動を取り入れるべき」**だとシャハー氏はいいます。運動をすることは、精神疾患の薬と同様の効果があるノルアドレナリンやセロトニン、ドーパミンといった神経刺激伝達物質の放出を促してくれるとのこと。ですから、日常のなかでひと汗かく機会を設けるというのは、心身を正常な状態にしてくれる役割があるわけです。アメリカの医学博士ジョン・J・レイティとエリック・ヘイガーマンが著した書籍『脳を鍛えるには運動しかない！』（NHK出版）でも、朝の授業の前に「0時間体育」といった運動をする試みを始めたところ、参加する生徒の成績が上がったといいます。

　日本では昔から「文武両道」という言葉がありますが、よい環境を整えて質の高い勉強を続けていくためには、**軽く汗を流せるほどの適度な運動も欠かせない**ということでしょう。

　生活をシンプルにして、適度な運動をすること。ぜひ皆さんの生活にも取り入れてみてください。

86

勉強を習慣にするには 「スモールステップ」で 決めていく

『子育てベスト100　「最先端の新常識×子どもに一番 大事なこと」が1冊で全部丸わかり』加藤紀子

大きな時間単位では、人は動きにくい

スモールステップがやる気を促す

2006年にデューク大学が発表した論文によると、日常の行動の45%は「その場の決定」ではなく「習慣」なのだそうです。つまり、勉強を毎日継続しようと思ったら、いかに「習慣」にまで落としこむかが重要なのです。では、勉強を習慣に落としこむにはどうしたらよいかですが、『子育てベスト100』という本によると、**「時間を決めてスモールステップでやる」「遊ぶ時間もしっかり確保しておく」と手をつけやすくなる**といいます。

ゲーム感覚にすると動きやすい

この進め方には2つポイントがあるようです。1つは、**遊ぶ時間をあらかじめ決めていること**。実際、フィンランドでは、ずっと座って勉強をしている子どもよりも、あらかじめ決めた休み時間を与えられた子どものほうが学力は高くなったというのです。特に休み時間に体を動かした子は、それによって脳の血流が増加して脳の働きに役立ったのだといいます。

2つめのポイントは**細かく時間を分けること**。子どもの場合は特に、「今日は1時間勉強する」などあまり長時間の約束事は効果がないとか。それよりも「15分やって終わったら遊べる」を数回くり返すほうが実行しやすいというわけです。

さらに、時間内に計算問題を終えられない子どもを動かそうと思ったら、「今日はしょうがないけど、明日はちゃんとやろうね」ではなくて、「3分後に終わらなければ罰ゲーム！」「3分以内に終わったらお菓子ゲット！」というようにゲーム感覚にしてしまうほうが動きやすいのです。

もっと ランクアップ！

子どもに限らず、大人にも使えそうですね。「あと5分でこの仕事が片づかなかったら、今晩のビールはなし！」「30分以内にこの資料を読み終えたら、ランチは大盛り！」など、楽しみながら適用してみてはいかがでしょうか。

205

頭が働かなくなったら、
ひたすら歩く

『アタマがみるみるシャープになる!!　脳の強化書』
加藤俊徳

脳を休めるには、体を動かすといい

脳内の使用部位を切り替えよう

　勉強をしていて、サクサクと問題を解いている場合にはいいのですが、ずっと似たような問題を解き続けていたり、哲学や政治などの難解なことを考え続けていると、頭が急に働かなくなってくることがあります。これは脳の特定の部位に負荷がかかっているために起こり、脳にとってあまりよくない状態とか。

　この状況を変えるためには、**脳の使っている部位を移動させる必要がある**と1万人以上の脳画像を診断してきた加藤俊徳氏はいいます。

　ちなみに、ずっとおとなしかったのに突発的にキレてしまう人が時々いますが、あの現象も脳のなかでは使っている部位を移動していることになるようです。とはいえ、勉強中にやるべきはキレることではありません。**脳内の移動をするのにオススメなのは「歩くこと」**。席を離れ、体を動かすことで、頭のなかを切り替えるのです。

10分程度の散歩でも効果的

　体を動かすと、脳の活動は運動系に切り替わるため、脳への負荷は効果的に分散されます。

　加藤氏ではなく、この本の著者である私（原マサヒコ）の話ではあるのですが、実際に過去に勤めていた会社では、昼休みにごはんを食べたあとに職場のメンバーでバレーボールをする習慣がありました。この習慣は、運動系への切り替えとして効果的だったと感じます。一般的な会社では、昼を過ぎるととたんに眠くなる人は少なくありません。しかし、私が勤めていたその会社では昼過ぎであってもみんなバリバリ働いていました。脳科学的にも、非常に理にかなった行動だったわけですね。

　バレーボールにかぎらず、とにかく体を動かすことが大事ですので、いつでも誰でも簡単にできる「歩く」ことをまずは意識するとよいのではないでしょうか。同じことを考え続けて、「思考が固まってきた」「頭が熱くなってきたなぁ」と感じたら、外に出て少し歩いてみましょう。**ボーッと10分くらい歩くだけでも脳は自然にクールダウンされてきて、またすぐ効果的に働かせることができるはず**です。

意志力を維持するために、「低血糖食」をとる

『スタンフォードの自分を変える教室』
ケリー・マクゴニガル

勉強に疲れたときのごほうびおやつ

"ケーキ"を食べると...

すぐに！！やる気出てきた!!

となるが

↓

バタッ も、ムリ

すぐにバテてしまう

"ナッツ類"を食べると...

効果は遅れてくるが

続き

やるか〜

↓

どこまでも 行けそう！

持続するためはかどる

強い意志を持つには、低血糖食をとろう

意志力を維持したいならナッツ

　勉強をするうえで大事な力は「意志力」です。新しい勉強を始めるときにも強い意志が必要ですし、それを継続していくにも意志が重要。ただ、その意志力の持続には個人差があるように思えませんか？　そこにはどうも**「血糖値」が関係している**ようです。

　勉強をしていると疲れてきて、「もうこれ以上続けるのはムリ……」とエネルギー切れになることってありますよね。

「疲れたときには甘いもの」なんてよくいいますが、実際にエネルギーが不足したときには甘いものがほしくなり、食べると血糖値が一時的に上昇してスッキリします。ただ、血糖値が急激に上がったり下がったりするのは、体のことを考えるとあまりよくないようです。ですから、勉強中も**あまり血糖値が下がらないように一定に保つのが理想的**なのです。では血糖値を一定に保つためにはどういったものを食べるのが理想なのでしょうか。

『スタンフォードの自分を変える教室』によれば、持久性のあるエネルギーを体に与えてくれる**「ナッツ類」はとくにオススメ**。さらに添加物などが含まれておらず、**素材そのままで味わえる果物や野菜などもよい**でしょう。

　試験に勝つためにゲン担ぎで「かつ丼」を毎日子どもに食べさせたりすると逆効果になってしまうわけですね。低血糖食を朝食やおやつにとると、意志力の低下を防ぐことができるといいますから、ぜひ実践してみましょう。

トレーニングをしてさらに意志力を強化

　さらに、意志力の低下を抑えるには、自分が決めた目標を、自分が決めた期限内に達成するというのもよいとか。**自制心を要する小さなことを継続して行なっていくと、「自分をコントロールする力」が鍛えられる**というわけですね。ある意志力トレーニングプログラムでは、参加した人の食生活が健康的になっていったり、運動量が増えたり、タバコやアルコールの摂取量が減ったりと、あきらかに行動が変わっていったそうです。低血糖食をとりながら、小さな目標を達成していくことをくり返して、意志力をどんどん鍛えていきましょう。

何かをやり遂げるには、「4つのしくみ」をつくる

『エッセンシャル思考　最少の時間で成果を最大にする』
グレッグ・マキューン

大切なことを見きわめ、そこに最大限の時間と
エネルギーを注ごう

勉強も仕事も、努力と根性でやり遂げようとしない

エッセンシャル思考というのは、「大事なことを見きわめ、自分の時間とエネルギーをもっとも効果的に配分し、最高のパフォーマンスを発揮する」という考え方。この考え方をするためのキーワードは４つあります。

１つめは、**「バッファ」**。現代は予測不可能な時代ですから、何が起きてもあわてないように、常にバッファをとっておく（余裕を持たせる）わけです。試験を受けるのであれば筆記用具の予備を持っていくとか、到着時間は１時間早めに着くようにするとか、**時間や道具に加え、心のゆとりを持って行動しましょう。**

そして２つめは、**「前進」**。エッセンシャル思考を持ち合わせない人は、努力や根性でなんでもやり遂げようとしてしまいます。しかし、それでは動きが鈍くなってしまうばかり。私たちがやるべきは、小さな成功を積み重ねることです。ある心理学の研究によれば、人間のモチベーションに対してもっとも効果的なのは「前に進んでいる」という感覚なのだといいます。**どんなに小さくても「前進している」という手応えがあれば、そのまま進み続けようという力になる**のです。

大切なのは、「今、この瞬間」。それ以外は忘れよう

前進を続けるためにも重要なのが３つめの**「習慣」**です。**前進する動きを習慣づけてしまえば、無意識のうちに目標を達成できる**でしょう。いちいちむずかしい判断をする必要もなければ、誘惑から目を背けるためにエネルギーを使う必要もありません。

そして４つめが**「集中」**です。過去を後悔したり、未来のことを不安がったりすると、目の前の大事なことがおろそかになってしまいます。そうではなく、**「今、この瞬間」に何が大事かを考えることが重要**です。やるべきことをリストアップし、今すぐやること以外はすべて消してしまってもよいのです。

これら４つのキーワードを自動的にできるようになれば、何事もうまくいくでしょう。ぜひ、意識して、普段の行動に取り入れてみてください。

90

緊張を取り除きたいときは3回以上深呼吸して、体を大きく動かす

『**TED TALKS　スーパープレゼンを学ぶTED公式ガイド**』
クリス・アンダーソン

POINT

もし緊張するようなら本番前に準備をしよう

世界中から注目される大舞台「TED」

試験やプレゼンの本番前ともなると、誰しも緊張するものです。せっかく勉強を続けてきたり、練習を積み重ねてきたりしても、緊張して頭が真っ白になってしまったらよい結果も残せません。では、一流の舞台に立つ人は、大舞台の本番に向けてどのような準備をしているのでしょうか。

ここでご紹介するTEDとは、さまざまな人が「共有する価値のあるアイデア」をプレゼンする1000人規模のカンファレンス（会議）のことです。これまでにも政治家や作家、俳優や経営者など多くの人が登壇しており、動画でも全世界に配信されていますので、見たことがある人も多いのではないでしょうか。

その代表者であるクリス・アンダーソン氏が、一流の登壇者たちが実践している緊張を取り除く方法について、『TED TALKS』でまとめています。

本番前にやっておくべきこと

まず、**本番前にもっとも大切なのは「呼吸」**だといいます。酸素を取り込むと心が静まります。本番前には瞑想をするように目を閉じて胸に深く息を吸い込み、ゆっくりと時間をかけて吐き出してみましょう。それを3回以上くり返します。続いて、**体を大きく動かしてみましょう**。腕を振り回したり、その場で足踏みをしたりしてもよいでしょう。アンダーソン氏は、なんと腕立て伏せをして落ち着きを取り戻したことがあるそうです。

空腹は不安をもたらし、口が渇いても緊張が増幅するため、1時間前にはプロテインバーなどかんたんな食事で小腹を満たし、直前に水分を補給しておきましょう。ただ、早過ぎると本番でトイレに行きたくなるので、要注意です。

もっと ランクアップ！

本番前に不安やおそれを感じるのは、練習やトレーニングがそもそも足りていないということ。「おそれを感じたら、練習するモチベーションとしてその気持ちをとっておくようにしよう」とアンダーソン氏は語っています。

独学をし続けることで
味方を増やすことができる

『「超」独学法　AI時代の新しい働き方へ』
野口悠紀雄

独学へのアクションを変えれば、世界が変わる

「敵・味方理論」

　元官僚ながら、東京大学や早稲田大学の教授、スタンフォード大学の客員教授も務めた野口悠紀雄氏は、この本で「敵・味方理論」なる説を唱えています。これは、「あるものが敵であると考えると、本当に敵になる。その反対に、味方であると考えると、自然に自分に近づいてくる」というものです。

　たとえば、「SNSというのは犯罪も多いし有害なものだ」と考えてしまうと、敬遠してしまうもの。しかし、「SNSは非常に有益で心強い味方だ」と考えれば、使っていくうちにコツやポイントがわかるようになり、どんどん上手に活用できるようになる。そうすると、実際に「自分の味方」として作用するようになるというのです。**ツールなどは自動的に敵になったり味方になったりするものではなく、自分のアクションによって変わっていくもの**だということですね。

必要なことを重点的に勉強すればいい

　では、具体的にどのようなアクションを心がけるべきなのでしょうか。それは、「必要なことを重点的に勉強すればいい」だそう。大学教授を歴任している野口氏ですが、意外にも「社会人が勉強する際にも、どこか学校に通おうなんて思わなくていい」といい切ります。

　多くの人はカリキュラムを考えたり途中でギブアップしたりすることを嫌がって、高額でも学校に通おうとしがちです。しかし、社会人の勉強では、学ぶべき内容や条件が人によって異なります。独学のよさを活かし、**「知るべきことに焦点を絞って」**勉強していくことで、世界が変わっていくのです。

 ランクアップ！

　多くの大学では講義をインターネット上で公開し、誰もが無料で受講できるようになりましたし、YouTubeでもさまざまな分野の学びが可能です。安価なオンライン講義サービスも増え、現代は独学に適した環境といえるでしょう。積極的な活用を考えてみては。

すぐに行動できて続く人は 「朝」を大切にする

『結局、「すぐやる人」がすべてを手に入れる』
藤由達藏

朝の時間帯と身のまわりの環境を意識しよう

朝の時間を効果的にすれば、行動が続く

　勉強が継続的に続く人や、行動力のある人は、朝の時間を大切にしていると
いいます。朝は、睡眠によって疲れもとれ、前日の情報が脳内で整理されて
スッキリしている時間帯。**朝の時間帯の使い方次第で、1日を効果的に使えるか
が決まる**のです。

　朝の使い方としては、朝食をとる前後に1日の計画をざっと確認するだけで
もよいとか。10分でも15分でも、今日1日をどんな1日にしたいか考えてみる
とか、スケジュール帳を見ながら今日やるべきことを確認するとよいでしょう。
**1日の全体の流れや目標を確認することで、時間の使い方にムダがなくなってい
きます**。

環境からは大きな影響を受けるもの

　さらに、行動が継続する人は、「環境」も意識しています。環境というのは人
間に大きな影響を及ぼすもの。攻撃的な人と一緒にいると行動が荒々しくなっ
ていきますし、汚い場所にいると心がすさんでいきます。ですから、**継続的に
勉強をがんばっていこうとしている場合には、勉強をするデスクまわりの環境
を整えていきましょう**。

　たとえば、使う前には机をきれいに拭き、テキストやノートの配置をわかり
やすく並べるようにしましょう。また、気分のよくなる小物を置いたりしても、
快適に勉強が続けられるようになるはずです。ほんのちょっとしたことですが、
身近な環境からは大きな影響を受けるものですから、ぜひこだわっていきたい
ですね。

もっと **ランクアップ！**

　自宅ではなく外出先で勉強をするという場合でも、気分が上が
る文具を使うようにするだけで気分は変わりますよ。お気に入
りのカフェで、大好きな文具に囲まれて勉強しましょう。

しくみをつくる

成功する人は「カイゼン」をし続ける

『やり抜く力』
アンジェラ・ダックワース

3つのステップで成功者の道を歩もう

成功する人が全員やっている「カイゼン」

長い時間をかけて勉強をすれば、どんな人でも同じように頭がよくなるものでしょうか？　そんなことはないですよね。同じ時間を費やしても、成果の高い人もいれば、低い人がいるのも事実です。

それは仕事でも同様で、社会人経験20年でも成長が見られず、ずっと新人のような人もいれば、同じ経験年数で社長として会社を動かす人もいます。

では、この2人にはどんな違いがあるのでしょうか？　ベストセラー『やり抜く力』の著者であるアンジェラ・ダックワース氏は、「メガ成功者は『カイゼン』を行ない続けている」といいます。カイゼンとは、「継続的な改良」を意味しており、もともとトヨタをはじめとする日本の製造業で培われてきた動きのこと。実際に**多くの成功者に話を聞くと、ひとり残らず「カイゼン」の動きをしている**ことがわかったそうです。

「意図的な練習」を続けよう

成功者を生み出すカイゼンの動きとは、「意図的な練習」を続けていることを指します。この意図的な練習は、3つのステップになっています。

最初は、「ストレッチ目標」と呼ばれる、少し高めの（高すぎない）目標を設定します。

2つめはいたって単純で、集中して努力を惜しまず、弱点を克服して、ストレッチ目標の達成を目指すことです。成功者ほど、人が見ていないところで必ず努力を重ねているもの。そしてその努力のなかで、どうしても目標に届かないようであれば何が悪いのか、改善すべき点は何かを探します。

そして、その改善点をクリアできるよう、何度でも練習しクリアしていくのが3つめのステップです。クリアしたら、さらに次のストレッチ目標（ステップ1）を設定していく……そのくり返しなのです。

このようにして、**ストレッチ目標に届かない元凶である「小さな弱点」を克服すべく、コツコツと努力を積み重ねていく**ことで、成功者はおのずから成功者の道を歩み始めるというわけです。

94

フィードバック分析で
自分を知ることが
勉強の成果を上げる

『**自分を成長させる極意　ハーバード・ビジネス・レビュー
ベスト10選**』　ピーター・F・ドラッカー　他

自分の強みや得意な学び方を知って伸ばしていこう

「自分の強み」を知ることが、目標達成の最短ルート

　著名な経営学者であるドラッカー氏はいいます。「何事かを成し遂げるのは、強みゆえである」と。弱みによって、何かをまっとうすることはできないのです。自己の強みを知るために、「フィードバック分析」を勧めています。

　つまり、何かをやろうと決めたり、実際に始めたりしたならば、具体的に詳細を書き留めておき、定期的に実際の結果と期待していたことを照らし合わせるのです。このフィードバック分析を実行に移すことで、2〜3年という短期間に「自己の強みが何であるか」があきらかになっていくといいます。**勉強であれ仕事であれ、自己の強みを知るということこそがもっとも重要**なのです。

「得意とする学びかた」も自覚せよ

　イギリスの元首相であるウィンストン・チャーチル氏をはじめ、世界の一流の著述家の多くが、なぜか学校の成績が悪かったといいます。本人たちは、「学校は面白くなかった」と述べているとか。なぜ彼らの成績が振るわなかったかというと、彼らは自ら書くことで学ぶタイプだったにもかかわらず、学校ではそのような学び方をさせていなかったからです。

　このように、人によって「得意とする学び方」はまったく異なります。**思うように成果を上げたければ、自分の「得意とする学び方」を自覚して、そのやり方で進めていきましょう**。

もっと ランクアップ！

　ドラッカー氏は、仕事を例に、「誰かと組んだほうがよいか、1人のほうがよいか」「緊張や不安があったほうが仕事ははかどるか、安定した環境のほうが仕事ははかどるか」も知ったほうがいいといいます。これも勉強に置き換えると、誰かと一緒にグループ学習をしたほうがいいのか、1人で黙々と勉強したほうがいいのかは人によって違います。時間に追われたほうが集中できる人もいれば、そうでない人もいます。いずれにせよ、自分を理解することが重要なのです。

しくみをつくる

自分の気分は100％無視して「作業興奮」を作用させる

『レバレッジ勉強法』
本田直之

まずは最初の一歩を出せる仕組みを用意する

自分の気分に左右されない

　勉強を続けようと思っていても、いまいち乗れないときもあります。ただ、何か理由をつけて勉強の手を止めていたら、いつまでたっても勉強は進みません。レバレッジシリーズで有名な実業家、本田直之氏の『レバレッジ勉強法』では、**「自分の気分は 100 パーセント無視するのが原則」**と記されています。

　ここでは、**「スケジュール」や「時間割」などをあらかじめ決めておき、それにそって淡々と進めていくというのがベスト**としています。ただ、「気が乗らないのにそれを無視して予定通りやれだなんて精神論じゃん」と思う人もいるかもしれません。しかし根性論では決してなく、「脳のしくみを利用しているだけ」と本田氏は続けます。

作業を始めると興奮する「脳」を利用する

　あなたも、「つまらないなぁ、おっくうだなぁ」と思っていたデータ入力作業でも、やっているうちに夢中になってしまい、ついつい残業して最後まで終わらせてしまった……なんて経験があるのではないでしょうか。これは、**脳による「作業興奮」という現象**なのだとか。

　勉強でもこの「作業興奮」を利用しない手はありません。「まず、やってみる」「とにかく手を動かしていく」ことが大切です。そのため、少しでもいいから動き始めるしくみを準備しておきましょう。

　しくみというのはたとえば、前述したような「スケジュールを決めてしまう」というのもそうです。なんとなく始めるのではなく、「8 時からやる」と決めていれば、時間が近づくにつれ気になるものです。学校やスクールに通うのも同じ。お金を払ってその場に行けば、嫌でも勉強せざるをえない環境になります。

　そうして自分がやっている勉強のなかで、「ちょっとした助走」のようなものを最初にやる習慣をつけてみましょう。**最初の一歩はおっくうかもしれませんが、始めてしまえば作業興奮が作用して走り続けてしまえるもの**です。それが慣れてくれば、もうしくみも必要なく、自分から進んで勉強できる体になっていくかもしれません。

96

勉強のしくみは
「投資」をしながら組み立てる

『無理なく続けられる　年収10倍アップ勉強法』
勝間和代

「いい道具」と「いいコーチ」をそろえよう

社会人の勉強の場合、特にIT機器など「新しい道具をいかに使いこなすか」が重要です。仕事をしながらの勉強ともなると時間があまり取れないため、PCやスマホを駆使しながら無理なく効率的に勉強していく必要があります。

人間の記憶力や意志の力はさほど大差がないため、**勉強法において他者より抜きんでるためには、「道具」と「やり方」にフォーカスするべき**と経済評論家の勝間和代さんはいいます。

具体的には、「勉強もスポーツと同じで『いい道具』と『いいコーチ』をそろえたほうが、独学で練習するよりも上達が早い」とか。根性論や努力論ではなく、正しいやり方でスキマ時間を使いながら練習を重ねていくべきといいます。

複利効果で成長曲線を描こう

「いい道具」と「いいコーチ」をそろえるためにはお金がかかりますが、社会人の勉強というのは特に給料や副業などを考えると「収入＝リターン」にもつながっていくわけです。ですから、勉強を続けるためのしくみには惜しみなく「投資」をしていきましょう。投資の目安は、20代であれば月収の5～10％ぐらい投資するべきだとか。仮に月収が20万円であれば、1～2万円を「勉強」もしくは「勉強環境」への投資に使うことを勧めています。

ちなみに、投資は学生であっても重要な考え方で、東京大学医学部に在学中の河野玄斗さんが書いた『東大医学部在学中に司法試験も一発合格した僕のやっている　シンプルな勉強法』（KADOKAWA）のなかにも**「自己投資をケチるな」「あとからいくらでも回収できる」**とあります。

本や教材などのコンテンツに直接投資することも大事ですが、それに加えて継続するためのしくみや、ラクにできるようなツールにも投資するべきでしょう。少ない時間のなかで勉強をするわけですし、仕事との両立をするためにはできるだけラクなほうがいいですからね。そうして学びを続けて収入につなげていき、収入が増えたらまた勉強の投資に使っていく……**それを繰り返すことで「複利効果」が働き、ある日突然、成長曲線が上を向いていく**といいます。ぜひ「投資」を意識して勉強を続けていきましょう。

しくみをつくる

225

「光」との接し方で
パフォーマンスは大きく変わる

『**HEAD STRONG シリコンバレー式頭がよくなる全技術**』
デイヴ・アスプリー

POINT

1日に浴びる「光」を意識すると脳の力が変わる

ジャンクライトを避けよう

シリコンバレー保健研究所の所長であるデイヴ・アスプリー氏は、本書で「光」の重要性を説いています。**エネルギーと睡眠の質を最大化するには、「ジャンクライト」と呼ばれる質の低い光を避けて、1日のなかで正しい時間、正しい光にさらされなくてはならない**というのです。

では、ジャンクライトとはどんなものでしょう？　まずは電化製品についているLEDライト。これは必要に応じて絶縁テープで塞ぎ、カットできます。

そして、電子機器のブルーライト。パソコンやスマートフォンがブルーライトを発しているのは有名ですが、そのライトも人間の脳に悪影響を及ぼすといいます。パソコンでは、ブルーライトをカットするソフトやメガネなどがあります。スマートフォンもバックライトをできる限り抑え、保護フィルムなどを使いましょう。

質の高い眠りでパフォーマンスを向上

光は睡眠にも大きな影響を及ぼします。質の高い睡眠がとれなければ脳がパフォーマンスを発揮できず、勉強の効果も薄れてしまいます。**質の高い睡眠をとるには、寝る2時間前から照明は薄暗くすべきといいます。**白色LEDライトや蛍光灯の光は体を混乱させてしまうので、なるべく使わないほうがよいとか。

また、寝ているときにスマートフォンが光らないように、寝る前に機内モードへと設定を変えてしまいましょう。日中は屋内で人工の光を浴びるよりも、数分でもいいので太陽光を浴びるのが体にもよいようです。

光との接し方を意識して2週間も過ごすと、脳のパフォーマンスは格段に向上するのだといいます。ぜひ試してみましょう。

 ランクアップ！

寝室は可能な限り遮光して、暗くしたほうが眠りの質は高まるといいます。カーテンが薄い場合は、遮光カーテンなどを利用するとよいでしょう。

勉強は、あえて 「キリの悪いところ」で終わらせる

『小学生の子が勉強にハマる方法』
菊池洋匡／秦一生

「ツァイガルニック効果」が働く

勉強をするときに「キリのいいところまでやろう」と、考えていませんか。実は、あえて「キリの悪いところ」で終わったほうが、「もっとやりたい」という気持ちを引き出せるといいます。これを「ツァイガルニック効果」というのですが、**人間には、完了済みのタスクより、未完了のタスクのほうが気になるという性質がある**とか。

最近はテレビのバラエティ番組やワイドショー番組でも、盛り上がっているところで「続きはCMのあとで」などとブツッと切ったりしますが、まさに同じ原理。ゲームもキリのいいタイミングがなかなかないといっては延々やり続けてしまいますし、アニメも続きが気になるから見続けてしまいますよね。

キリを悪くするのは「一石二鳥」

ですから、勉強も続きが気になるように「盛り上がっているところ」であえてブツッと切ってしまうのがよいのでです。とはいえ中途半端なところでは切りにくいので、**時間で区切ってしまうのがいちばんよい**でしょう。「この課題を15分以内でやる」とか「今日の勉強は25分まで」という形で時間を決めてしまい、タイマーをセットします。そして、タイマーが鳴ったら強制的に終了です。「ピピピ」と鳴ってそこで終わりとなると、「あー、もうちょっとで解けたのに〜」と思ってしまうわけですが、この感覚がとても大事だとか。

少しモヤモヤしてしまいますが、次回への意欲が残っている状態のほうが勉強を継続することができますので、そのモヤモヤを受け入れていきましょう。作家の村上春樹氏ももっと書きたくても、1日に原稿用紙10枚程度にとどめて長編小説を書き続けているとか。

また、毎回タイマーをセットすることで、時間への意識も高まっていくでしょう。「早く終わらせたい」という思いが強くなっていき、「この問題をより早く解くにはどうしたらいいのかな？」と**効果的な方法を考える力も自然と養われていきます**ので、キリを悪くするというのは一石二鳥のやり方といえるのです。

しくみをつくる

過去も未来も考えず
「今」のことだけを考える

『ムダにならない勉強法』
樺沢紫苑

「継続」は目標ではなく、結果でしかない

「続けよう」は「ツラい」の裏返し

「勉強を続けていきたい！」と考えている人は多いかもしれません。しかし、「続けよう」と考えると、頭のなかで自然に1年後も3年後も勉強をしている未来を描いてしまいがちです。しかし、ダイエットでも運動でも、「続けるぞ！」とわざわざ意気込むのは、その裏に、「ツライから」という思いが隠れているから。実際に継続しているものは、「気がついたら3年経っていた」「もう5年もやっていたのか」くらいの感覚でいるものです。

続けるために考えなければいけないのは、「今、やるのかどうか」です。運動をしようと思ってジョギングを日課にしているという場合、「今日は雨だし、なんだか嫌だな……」と思うこともあります。そこで大切なのは、「3年は続けると決めたのに、ここでくじけてしまうのか……」ではなく、「今日やる？ どうする？ 雨だけど、走り終わったら気持ちいいかもよ？」と「今」に注目して考えることなのです。

未来や過去よりも、「今」を積み重ねていこう

人はどうしても未来や将来のことを考えて、不安になってしまうもの。何かを地道に続けようと思っても、「これを3年も続けられるんだろうか」などと先のことまで考え、余計な心配をしてしまいます。そうではなく、つねに目の前の「今」にフォーカスをして判断していけばいい。それをくり返しているうちに、気がつくと長い時間、継続できていた……という結果になるのです。

また、逆に過去のことを振り返って後悔するのもよくありません。振り返って反省をし、次に活かすのであればよいものの、**いつまでもクヨクヨと「あのときあの答えを選んでいれば、今ごろは……」などと考えていても、時間のムダ**。SF映画ではないので、人間は現在にしか生きられません。考えるべきは、「今」。**「毎日ずっと勉強を続けるのか。大変だなあ」ではなく、今だけに集中して「よし、今日は2時間やるぞ！」でよいのです**。そして後悔ではなく反省をし、明日に反映させていけばいい。いちいち不安など抱かず、明日のことは明日悩めばいいのです。

100

一事に上達すれば、必ず万事に通ずる

『修養　自分を磨く小さな習慣』
新渡戸稲造

まずはコツコツと、何か1つのことを上達させよう

1つのことを繰り返しやる重要性

1984年から2007年までに発行された5000円札に描かれていたのが、新渡戸稲造氏です。東京女子大学の初代学長や東京女子経済専門学校の初代校長を務め、教育者として知られています。そんな新渡戸氏が書いた『修養』には、「一事に上達すれば、必ず万事に通ずる」という言葉が出てきます。

これは、**「くり返し継続することで、気がつけばその道のプロになっているはず。そして、1つのことが上達すれば、さまざまなことに通じていく」**ことを意味しています。

たとえばラジコンカーの操作に熟達した人であれば車の運転もうまくなりますし、ドローンの操縦にも応用できるでしょう。ただ、ラジコンカーの操作に熟達するには、継続的な鍛錬が必要になるのです。

「かんたんだけど、少し面倒なこと」を続けてみる

継続心を修養するのに、最初からむずかしいことをやろうとしても失敗してしまいます。では継続心を修養するのに何をすればいいかということですが、新渡戸氏は「たやすいことで、ただ少し嫌だなと思うくらいのことを選んで、継続心を鍛錬するとよい」と書いています。たとえば、乾布まさつを習慣にしてみる、毎日日記をつけてみるなど、**1つひとつはたいしたことではないけれど「ちょっとだけ面倒だな」と感じるレベルのことをくり返して行なってみましょう**。そんな小さいことを続けているうちに、「何かを継続する」ことが習慣となって、次第に上達し、さらにほかのことにも応用されやすくなるのです。

 ランクアップ！

日本のことわざには「習うより慣れろ」というものがあるように、継続するためには「まずやってみる」という気持ちも大切。少量の水のしたたりでも、長期間続くことで岩に穴を空けます。この力は一時的に現れる力ではなく、毎日コツコツ続けている継続の力によるもの。とにかく小さなことを毎日くり返していくようにしましょう。

何よりも
まず、動いてみよう

さあ、100個のメソッドはいかがでしたでしょうか。

あなたに役立つものが、いくつも見つかったのではないかと思います。

この本では勉強の計画やインプット / アウトプット、そして思考法と勉強を継続させるしくみについてピックアップしてきました。

あとは、「行動あるのみ」です。まず、やってみてほしいのです。

そこで最後に僭越ながら、私から1つ、「勉強」に関するコツをご紹介させてください。

101個めのとなりますが、100冊以上の学び、勉強に関する本をとにかく読んで実践してきて私からできる勉強法の結論です。

だんだんと変化の激しい時代になってきました。

今を生き抜くうえでも、これからの時代を生きのびていくうえでも、とにかく「学び続けること」が重要だと強く感じます。

本書の勉強法を「拙速に」試しながら、成長を続けていってください。

「巧遅より拙速」で、まずは動いてみる

　私が社会人になってはじめて勤めたトヨタの現場では、「巧遅より拙速」という言葉を耳にしました。

　これは、「ヘタでもいいから、初動が大事。とにかくやってみよう！」と人の行動をうながす言葉です。

　仕事では、新しい難題にぶつかったり、やったことのない施策を試したりするときに、どうしても慎重になってしまいます。

　しかし、「巧遅より拙速」という考え方はつまり、**「あれこれ考えてばかりいないで、まずは動いてみよう」という教え**でした。

　新しい難題や、やったことのない施策は、動いてみないと結果が見えてきません。

　そのため、失敗してもいいから、とにかく早く行動を起こしてみることこそが推奨されており、そういった動きが評価されていました。逆に、考えてばかりで行動をしていないと、怒られてしまうのです。

　私は、この考えは勉強で自分自身が成長することも同じだ、と考えるようになりました。

　中国に古くから伝わる名著『文章軌範』にも、「巧遅は拙速に如かず」という言葉が見られます。

　これは、試験において「じっくりと完璧な文章を書こうとするのではなく、拙くてもいいから迅速に簡潔な文章を書くほうがうまくいく」という意味で使われたのだとか。

「勉強」も、自分に合った完璧な勉強法にめぐりあうまで、なかなかスタートできない人もいます。

　しかし、いくらじっくり考えたり、何冊本を読んでみても、実際に勉強を始めなければ意味がありません。

まずは、何かひとつでも「とにかく試してみること」が大切なのです。

Epilogue

　本書の執筆にあたっては、多くの方にご協力をいただきました。

　まずは、最初に企画を持ちかけてくださった飛鳥新社の編集者・古川有衣子さん。何度かお仕事をご一緒していますが、今回もご一緒できて本当にうれしかったです。毎回、本づくりに対するアイデアや熱量には舌を巻くばかりです。それに加え、著者のなかにある素材をうまく引き出してくださって、自分自身も本づくりとともに成長できている感覚がありました。この本もこれから大きく成長させていきたいですね。

　そして、たくさんのイラストを描いてくださったナカニシヒカルさん。大阪に行ってキックオフの意味もこめた会食をしたかったですが、情勢的に伺うことができず残念でした。それにもかかわらず、著者と編集者と同じ熱量を持ち、一体となって同じスピード感で仕事をしてくださり、とても感動しました。この作品はナカニシさんのイラストなしには完成させることができませんでした。本当にありがとうございます。

　本書の中面デザインを担当くださった、おかっぱ製作所の高橋明香さん。過去最高に大好きな中面デザインになりました。中面のデザインを担当くださるデザイナーさんとはなかなかお目にかかる機会がないのですが、Clubhouse でご一緒できて嬉しかったです。いつかまた、ゆっくりお話しを聞かせてください。このたびは素敵なデザインをありがとうございました。

　本書のカバーデザインしてくださった tobufune さん。いつぞや渋谷で開催された代表の小口翔平さんとフリーランスデザイナーの井上新

八さんによる対談セミナーに参加したときに、いつか自分の本の装丁も tobufune さんにお願したいと思っていましたが、今回その念願がかなっててたいへん光栄でした。たくさん出してくださったデザイン候補を見た瞬間、鳥肌が立ちました。あの感動は忘れません。

　いつも支えてくれる妻にも、とても感謝しています。9歳になった娘へ。今も勉強をがんばっているけれど、キミがもっと勉強好きになるように、パパは力を入れてこの本をつくりました。たくさんアドバイスをくれてありがとう。勉強をすることで、これからの人生という航海に向けた双眼鏡を手にすることになります。今まで見えていなかったものが、どんどん見えてくるはずです。たくさん勉強をして、人生を楽しんでね。

　最後に、本書を手にとり、ここまで読んでいただいた読者のみなさま、ありがとうございます。賢人たちが苦労して見つけてきた「学ぶための知恵」が、勉強を続けるみなさまの一助となることをお祈りしています。

　進学や進級の季節である春先に、自宅にて。

　　　　　　　　　　　　　　　　　　　　　原マサヒコ

〈参考文献一覧〉

1 『究極の鍛錬 天才はこうしてつくられる』ジョフ・コルヴァン著、米田隆訳（サンマーク出版）
2 『なぜ、優秀な人ほど成長が止まるのか 何歳からでも人生を拓く7つの技法』田坂広志（ダイヤモンド社）
3 『LEARN LIKE A PRO 学び方の学び方』バーバラ・オークレー／オラフ・シーヴェ著、宮本喜一訳（アチーブメント出版）
4 『君なら勝者になれる』シブ・ケーラ著、サチン・チョードリー監修、大美賀馨訳（フォレスト出版）
5 『DVDブック 最高の自分を引き出す法 スタンフォードの奇跡の教室 in JAPAN』ケリー・マクゴニガル著、神崎朗子訳（大和書房）
6 『9割受かる勉強法』松原一樹（ダイヤモンド社）
7 『「やる気」を科学的に分析してわかった 小学生の子が勉強にハマる方法』菊池洋匡／秦一生（実務教育出版）
8 『結果を出せる人になる！「すぐやる脳」のつくり方』茂木健一郎（河出書房新社）
9 『本当の「頭のよさ」ってなんだろう？ 勉強と人生に役立つ、一生使えるものの考え方』齋藤孝（誠文堂新光社）
10 『How Google Works 私たちの働き方とマネジメント』エリック・シュミット／ジョナサン・ローゼンバーグ／アラン・イーグル／ラリー・ペイジ他著、土方奈美訳（日本経済新聞出版社）
11 『まんがで身につく孫子の兵法』長尾一洋（あさ出版）
12 『自省録』マルクス・アウレーリウス著、神谷美恵子訳（岩波書店）
13 『「学力」の経済学』中室牧子（ディスカヴァー・トゥエンティワン）
14 『RANGE 知識の「幅」が最強の武器になる』デイビッド・エプスタイン著、東方雅美訳（日経BP）
15 『45歳から5億円を稼ぐ勉強法』植田統（CCCメディアハウス）
16 『LIFE SHIFT』リンダ・グラットン／アンドリュー・スコット著、池村千秋訳（東洋経済新報社）
17 『ソクラテスの弁明・クリトン』プラトン（岩波文庫）
18 『ニューエリート グーグル流・新しい価値を生み出し世界を変える人たち』ピョートル・フェリクス・グジバチ（大和書房）
19 『読んだら忘れない読書術』樺沢紫苑（サンマーク出版）
20 『ブレイン・ルール 健康な脳が最強の資産である』ジョン・メディナ著、野中香方子訳（東洋経済新報社）
21 『子育てベスト100 「最先端の新常識×子どもに一番大事なこと」が1冊で全部丸わかり』加藤紀子（ダイヤモンド社）
22 『出口汪の「最強！」の記憶術 脳科学による世界一無理のない勉強法』出口汪（水王舎）
23 『なんのために学ぶのか』池上彰（SBクリエイティブ）
24 『最短の時間で最大の成果を手に入れる 超効率勉強法』メンタリストDaiGo（学研プラス）
25 『勉強大全 ひとりひとりにフィットする1からの勉強法』伊沢拓司（KADOKAWA）
26 『勉強が死ぬほど面白くなる独学の教科書』中田敦彦（SBクリエイティブ）
27 『勝間和代のビジネス頭を創る7つのフレームワーク力 ビジネス思考法の基本と実践』勝間和代（ディスカヴァー・トゥエンティワン）
28 『脳が良くなる耳勉強法』上田渉（ディスカヴァー・トゥエンティワン）
29 『ビジネスでも、資格取得でもすごい効果！ 現役東大生がこっそりやっている、頭がよくなる勉強法』清水章弘（PHP研究所）
30 『誰でもできるストーリー式記憶法』山口真由（KADOKAWA）
31 『学び効率が最大化する インプット大全』樺沢紫苑（サンクチュアリ出版）
32 『「読む力」と「地頭力」がいっきに身につく 東大読書』西岡壱誠（東洋経済新報社）
33 『東大式節約勉強法 世帯年収300万円台で東大に合格できた理由』布施川天馬（扶桑社）
34 『脳を活かす勉強法 奇跡の「強化学習」』茂木健一郎（PHP研究所）
35 『のうだま2 記憶力が年齢とともに衰えるなんてウソ！』池谷裕二／上大岡トメ（幻冬舎）
36 『東大教授の父が教えてくれた頭がよくなる勉強法』永野裕之（PHP研究所）
37 『三色ボールペンで読む日本語』齋藤孝（角川書店）
38 『学年ビリのギャルが1年で偏差値を40上げて慶應大学に現役合格した話』坪田信貴（KADOKAWA）
39 『最強の勉強法 本当にやりたいことに没頭する技術』ニール・イヤール／ジュリー・リー著、野中香方子訳（日経BP）
40 『増補リニューアル版 人生を変える80対20の法則』リチャード・コッチ著、仁平和夫／高遠裕子訳（CCCメディアハウス）
41 『シリコンバレー式 よい休息』アレックス・スジョン-キム・パン著、野中香方子訳（日経BP）
42 『自分を操る超集中力』メンタリストDaiGo（かんき出版）
43 『ずるい暗記術 偏差値30から司法試験に一発合格できた勉強法』佐藤大和（ダイヤモンド社）
44 『スタンフォードが中高生に教えていること』星友啓（SBクリエイティブ）
45 『FACTFULLNESS』ハンス・ロスリング／オーラ・ロスリング／アンナ・ロスリング・ロンランド著、上杉周作／関美和訳（日経BP）
46 『道は開ける』デール・カーネギー著、香山晶訳（創元社）
47 『考える技術・書く技術』板坂元（講談社）
48 『フォーカス』ダニエル・ゴールマン著、土屋京子訳（日本経済新聞出版）
49 『ユダヤ式エッセンシャル学習法』石角完爾（日本能率協会マネジメントセンター）
50 『ライフロング・キンダーガーテン 創造的思考力を育む4つの原則』ミッチェル・レズニック／村井裕実子／阿部和広／伊藤穣一／ケン・ロビンソン著、酒匂寛訳（日経BP）

51 『改訂版 アメリカのスーパーエリート教育』石角完爾（ジャパンタイムズ）

52 『ヤバい勉強脳』菅原洋平（飛鳥新社）

53 『脳が冴える最高の習慣術 3週間で集中力と記憶力を取り戻す』マイク・ダウ著、坂東智子訳（大和書房）

54 『新・独学術 外資系コンサルの世界で磨き抜いた合理的方法』侍留啓介（ダイヤモンド社）

55 『ものを考える人 「頭をよくする生活」術』渡部昇一（三笠書房）

56 『大逆転合格する人だけが知っている秘密の習慣』柏村真至&村田明彦&与那嶺隆之（学研プラス）

57 『レバレッジ時間術 ノーリスク・ハイリターンの成功原則』本田直之（幻冬舎）

58 『LIMITLESS 超加速学習 人生を変える「学び方」の授業』ジム・クウィック著、三輪美矢子訳（東洋経済新報社）

59 『スマホ脳』アンデシュ・ハンセン著、久山葉子訳（新潮社）

60 『Think clearly 最新の学術研究から導いた、よりよい人生を送るための思考法』ロルフ・ドベリ著、安原実津訳（サンマーク出版）

61 『レバレッジ・リーディング』本田直之（東洋経済新報社）

62 『20字に削ぎ落とせ ワンビッグメッセージで相手を動かす』リップシャッツ信元夏代（朝日新聞出版）

63 『ULTRA LEARNING 超・自習法 どんなスキルでも最速で習得できる9つのメソッド』スコット・H・ヤング著、小林啓倫訳（ダイヤモンド社）

64 『マッキンゼーのエリートはノートに何を書いているのか トップコンサルタントの考える技術・書く技術』大嶋祥誉（SBクリエイティブ）

65 『東大名物教授がゼミで教えている 人生で大切なこと』伊藤元重（東洋経済新報社）

66 『世界のエリートはなぜ「この基本」を大事にするのか?』戸塚隆将（朝日新聞出版）

67 『記憶力を強くする 最新脳科学が語る記憶のしくみと鍛え方』池谷裕二（講談社）

68 『京大芸人式 身の丈にあった勉強法』菅広文（幻冬舎）

69 『開成流 ロジカル勉強法』小林尚（クロスメディア・パブリッシング）

70 『「公文式・読み聞かせ・バイオリン」で子どもは天才に育つ!』田中勝博（東洋経済新報社）

71 『ユダヤの訓え 「大物」になる勉強法』加瀬英明（三笠書房）

72 『メモの魔力』前田裕二（幻冬舎）

73 『夢を叶えるための勉強法』鈴木光（KADOKAWA）

74 『学びを結果に変える アウトプット大全』樺沢紫苑（サンクチュアリ出版）

75 『夢をかなえる勉強法』伊藤真（サンマーク出版）

76 『塾へ行かなくても成績が超アップ! 自宅学習の強化書』葉一（フォレスト出版）

77 『世界記憶力グランドマスターが教える 脳にまかせる勉強法』池田義博（ダイヤモンド社）

78 『ハーバードの人生を変える授業』タル・ベン・シャハー著、成瀬まゆみ訳（大和書房）

79 『アタマがみるみるシャープになる!! 脳の強化書』加藤俊徳（あさ出版）

80 『スタンフォードの自分を変える教室』ケリー・マクゴニガル著、神崎朗子訳（大和書房）

81 『エッセンシャル思考 最少の時間で成果を最大にする』グレッグ・マキューン著、高橋璃子訳（かんき出版）

82 『TED TALKS スーパープレゼンを学ぶTED公式ガイド』クリス・アンダーソン著、関美和訳（日経BP）

83 『「超」独学法 AI時代の新しい働き方へ』野口悠紀雄（KADOKAWA）

84 『修養 自分を磨く小さな習慣』新渡戸稲造著、丹羽宇一郎解説（三笠書房）

85 『結局、「すぐやる人」がすべてを手に入れる』藤由達藏（青春出版社）

86 『やり抜く力』アンジェラ・ダックワース著、神崎朗子訳（ダイヤモンド社）

87 『自分を成長させる極意 ハーバード・ビジネス・レビューベスト10選』ピーター・F・ドラッカー／クレイトン・M・クリステンセン他著、ハーバード・ビジネス・レビュー編集部編集、DIAMONDハーバード・ビジネス・レビュー編集部訳

88 『レバレッジ勉強法』本田直之（大和書房）

89 『HEAD STRONG シリコンバレー式頭がよくなる全技術』デイヴ・アスプリー著、栗原百代訳（ダイヤモンド社）

90 『無理なく続けられる 年収10倍アップ勉強法』勝間和代（ディスカヴァー・トゥエンティワン）

91 『ムダにならない勉強法』樺沢紫苑（サンマーク出版）

92 『図解 10歳若返る! 簡単に頭を鍛える法』高島徹治（三笠書房）

93 『人もお金も動き出す! 都合のいい読書術[新書版]バカになるほど、本を読め!』神田昌典（PHP研究所）

94 『天才! 成功する人々の法則』マルコム・グラッドウェル著、勝間和代訳（講談社）

95 『世界のエリートがやっている 最高の休息法』久賀谷亮（ダイヤモンド社）

96 『夢をかなえるゾウ』水野敬也（文響社）

97 『脳を鍛えるには運動しかない! 最新科学でわかった脳細胞の増やし方』ジョンJ.レイティ／エリック・ヘイガーマン著、野中香方子訳（NHK出版）

98 『東大医学部在学中に司法試験も一発合格した僕のやっている シンプルな勉強法』河野玄斗（KADOKAWA）

99 『学習マンガ少年少女日本の歴史』シリーズ（小学館）

100 『人もお金も動き出す! 都合のいい読書術』神田昌典（PHP研究所）

101 『文章軌範』前野直彬（明治書院）

世界一やさしい　超勉強法101

| 発行日 | 2021 年 4 月 26 日 第 1 刷発行 |
| | 2021 年 8 月 24 日 第 3 刷発行 |

| 著　者 | 原マサヒコ |

発行者	大山邦興
発行所	株式会社 飛鳥新社
	〒 101-0003
	東京都千代田区一ツ橋 2-4-3 光文恒産ビル
	電話　03-3263-7770（営業）　03-3263-7773（編集）
	http://www.asukashinsha.co.jp

装丁	小口翔平（tobufune）
本文デザイン	高橋明香（おかっぱ製作所）
校正	加藤義廣（小柳商店）
印刷・製本	中央精版印刷株式会社

編集担当　古川有衣子